是でも武士か

現代語訳

J.W.ロバートソン・スコット／著
ルイ・ラマカース／画
和中 光次／現代語訳
大高 未貴／解説

ハート出版

『日本、英国及世界』、『土地問題』、『自由国における自由農民』等の著者

J・W・ロバートソン・スコット 著

是(これ)でも武士か

第一次大戦の原点及びその過程研究用資料集成

ルイ・ラマカースの風刺画38枚、写真等24枚収録

「軍艦より客船を沈める方がよほど楽ですね。向こうは発砲しませんから」
定期船ファラバに対する雷撃は、非武装船舶の民間人を溺死させた最悪の事例のひとつだった。

ベルギーの友
ドイツはこれでもベルギーの友であると主張している。

死せる友、また生ける友に

一

戦争は深くこれを憎むとも
文明の大義のためには
潔く一命を捨てて顧みざる
若き人々の
光栄ある紀念として
この書を捧ぐ

二

英国の歴史文学また
その国民性を識るによりて
英国人を憤起せしめたる
その真意を了解する
日本の友へ
この書を捧ぐ

ベルギーの子供たちの群れ

緒　言

画家ラマカースとその序説

「真理を一位に置くか第二位に置くかによって全ての問題に変化を生ず」ホエトリー

第一次大戦が生んだ偉大な画家

本書の目的は二つある。一つは名声を博した一人の画家を日本に紹介すること、もう一つはこの画家がその技能を集中したいくつかの著名な事件の顚末を分かりやすく記録することである。

ラマカースは第一次大戦が生んだ傑出した画家である。彼は、ベルギーに加えられたドイツの蛮行を世に知らしめるため、その全技能を捧げた。しかし彼はベルギー人ではない。オランダ人を父としてオランダに生れた。オランダ人はベルギー人と特に親しい間柄ではない。それに、彼の母はドイツ人であった。

彼の作品中、本書に収録したのは一部分に過ぎない。これらは、あるオランダの新聞が掲載したものである。ラマカースの行動の動機は、人道の心だけでなく、愛国心にも基づいていた。ドイツに隣接していることや、その国土の大きさでもオランダはベルギーと似ている。ラマカースは、オランダがベルギーと同じ運命を辿ることを予期し、ドイツの侵略政策とその思想を同胞のオランダ人に理解させようとしたのである。

彼の戦争画の名声はたちまち上がった。パリで一大展覧会が開かれ、ロンドンの週刊誌『ランド・

アンド・ウォーター』に掲載された。ラマカースの名は欧州及び米国で、戦争が生んだ最高の画家として称賛されるようになった。

作画の質

ラマカースは、その卓越した絵の技術のみによって有名になったわけではない。誠実な心と真の洞察力とを有していたため、偉大な画家といわれるようになったのである。ラマカースは天賦の才と、悪に対する燃えるがごとき嫌悪の念を有していたことで、悪逆非道の独軍を描くことができたのである。フランスの有名な批評家が言うように、ラマカースは独兵の本質を理解していたように思われる。その批評家は次のように述べている。

「独兵は、戦闘によって、掠奪によって、強姦によって、そして野蛮な戦争観に支配された上官の命令によって、その心中にある野獣性が堰を切って暴れ出すその瞬間は狂暴なものであるが、元来ポメラニアあたりの小さな町の、感情的な金物屋の主人のような人間に過ぎない、とラマカースは明確に指摘している。この画家は、実によく状況を把握し、説明し、人々に真相を知らしめる哲学者のようである」

ドイツは、ラマカースからどれだけの侮辱を受けたと感じたことか。それは、六千円の懸賞金を掛けて逮捕しようとしたことを見ても分かる。ラマカースは今はロンドンに住んでいる。

作画の主題

ラマカースがこれらの風刺画に注いだ熱情を理解するには、ベルギーで何が起こったのかを正確に知る必要がある。以下の章では、私は感情や偏見をぬぐい去り、誰も疑問を差し挟む余地がないよう、純然たる事実を正確に記述することに非常に苦心したのである。私が記述したものは全て、公的な出版物や確実に信頼できる人物の著述に基づいている。

ラマカースの風刺画は大阪のものが日本に届き、本書では説明を付けて掲載した。版画の現物よりもやや芸術性が損なわれたのは残念である。

私は本書を簡潔な内容にしようとしたのだが、この重大な問題について意見を十分に述べようとすれば、紙面がかさむのは止むを得ない。本書に記述した事柄について既にご存知の個所もあるだろうが、まだ世間に知られていない事柄もあるだろうと思う。

本書をもっとよいものにできたのではないかというのは、誰よりも筆者が痛切に感じている。本書を執筆するに当たり、円滑に事が運ばなかったことが少なからずあった。内容を確乎たるものにするのに必要な文献が入手できなかったり、届くのが遅すぎた文献もある。しかし本書には一つ誇れるところがある。筆者は英国法廷で証人が宣誓する「真実を、全ての真実を、そして真実のみを証言することを誓います」という言葉の通り、誠実をもって本書を執筆することに努めたことである。世界各国の道徳的発展が望まれるこの重要な時期に、暴力、卑劣な軍国主義及び高官の卑しい行為等の不快な物語を公表することは、私の義務であると感じた。本書が高潔な人士により、戦慄と同情の念をもって読まれることを希望する次第である。

ドイツに対する我らの態度

本書を読んで、ドイツが戦争前に多くの分野で達成した進歩を読者が否定するのであれば、筆者は極めて遺憾に思う。またドイツ陸海軍人が示した勇気やドイツ国民が払った犠牲とその団結心を、筆者は認めてはいないという誤解を受けるのも、はなはだ遺憾である。人類の進歩や文明の発展に心を寄せている人々に、ドイツの名声が届かないはずがない。だがドイツのような大国が、列国との関係がある中で目前の欲望のために良心を失い、せっかくの名声をも汚すことになったのは、欧州の歴史上最も悲惨な出来事の一つである。

今ドイツ側と戦っている国の人々は、まるで平和な家庭の中にいきなり人殺しが飛び込んできたかのように驚愕し、当惑した。連合国側の国民は今や苦しみと悲しみの中で耐えてはいるが、早く復讐してやろうという感情が最上位にあるのではない。彼らには厳然たる使命が課せられている。その使命とは、国際警察とでもいうべきもので犯罪者を十分に取り締まってこれを罰し、こんな犯罪で人類の歴史が二度と汚されぬようにすることである。

平和の土台

我々は恐ろしい状況から遠く離れた日本にいる。それでも、欧州にもたらされた惨禍を多少は理解することができる。そのとき、平和を望むことは人間の自然な本性である。しかし今、世界が血まみれとなり正気を失っているような状況下で、平和を求めるには何よりも常識的な行動が不可欠である。そして常識から考えれば、平和を侵害した原因を、世界とドイツ国民の目に明らかにすることなしには、平和のための確乎たる土台が得られる見込みはないのは明白である。

戦争前には各国とも長年軍備に多額の資金を費していた。戦争は幾百万人という者の職業になっていた。何時か戦争が起こるのは、当然のこととして受け入れられていた。世界は火薬庫と化していたのである。どの国も、隣国の意図や要求を理解し、その善隣を進めるために、ドレッドノート一隻程度の費用も使う気はなかった。それゆえ戦争に対する全責任を、ただ一カ国の人々にのみ負わせようとするのは浅はかである。

しかし戦争に対する国家の責任を明らかにすることは可能であり、今次大戦での大虐殺についてはその原因はドイツだけにあった、というのが本書の厳粛な主張である。これは随分過激な主張のように聞こえるかもしれない。しかし十分な証拠もなしに主張しているわけではない。願わくば読者が本書に収められた事実を注意深く調べて、戦争の原因だけでなく、戦争で行われたことについて、筆者の主張の正否を判断していただきたい。

連合国側の主張を、グレイ子爵が一九一六年十月二十四日に、以下のように要約している。

「同じことをまた言う必要はないという人もいるが、これは将来の平和に関わることであるから、言い過ぎるということはない。

一九一四年の七月には、一人としてドイツを攻撃しようとを考えていた者はなかった。これは一八七〇年の話を繰り返しているにすぎない。ベルリンで全て準備され、ここという時になって大演習を行い、他国を自衛的行動へと駆り立て、これに言いがかりを付けて最後通牒となった。

ベルギー侵入のときも同じだった。鉄道の作戦も出兵の計画も、全て準備ができていたのである。

一九一四年に戦争を避けようとした全ての努力は、ドイツが戦争を望んでいたので失敗に終った。私はこれらの話が全て、独立した公平な法廷で審議されることを切望している」連合国側の主張が正しいかどうかは、本書を読めば分かることである。

一九一六年秋日

長野県立沢光榮寺において

Ｊ・Ｗ・ロバートソン・スコット識

アントワープの退却
退却中のベルギー兵、婦女子の避難者を救助。

罪なきベルギー人の人質を銃殺
「何の過失もない罪なき人質は独軍に銃殺された」
ベルギー調査委員会報告書。

目次

三　ベルギー占領

本書は、Ｊ・Ｗ・ロバートソン・スコット著『是でも武士か』（丸善、大正五年十二月十八日発行）の現代語版です。

ベルギーの未亡人たち

一　ベルギー侵入以前

第一章　ドイツ、四条約でベルギーの中立を尊重

一八三一年より一九〇七年までの条約

「虚偽は常に人の耳にささやかれる。故に我々は絶えず真実を語らねばならない」ゲーテ

大隈侯の解釈

日本の総理大臣大隈重信は「ベルギーが中立国として存在するのは、世界平和のために欠くべからざるものだからである」と明快に説明している。大隈侯が指摘するように、ベルギーは平坦な地勢なので、西部欧州における重要な戦いの多くはベルギーで戦われたのである。大隈侯はまた「この理由をもって欧州列強はベルギーを永世中立国として定めたのである」と述べた。大隈侯は続けて、「この中立国は今や独軍に占領された」と説明している。本章ではこの事柄をさらに詳しく述べる。

ベルギー国存在の由来

一八三一年、ベルギーはオランダの一部であることを嫌い、分離して独立王国となった。その年、英、仏、露、墺（オーストリア）、普（プロイセン）（ドイツ統一は一八七一年）の間で成立した条約で、「ベルギーは永世中立国とする」と定められ、五カ国はベルギーの領土保全と不可侵を保証した。

オランダは当然のごとくベルギーの分離に反発していたが、結局一八三九年に新ベルギー国の独立を承認した。オランダはベルギーとの条約で、ベルギーは「独立永世中立国である」ことを承認した。

同年すなわち一八三九年に締結されたロンドン条約では、普墺両国を含む五大国の君主は、オランダ・ベルギー条約を「これら君主の保証の下に置く」と宣言した。

普仏戦争中におけるベルギー中立の尊重

一八七〇年、普仏両国間に戦争が起った。その時英国の発議により、両交戦国はベルギーの中立に疑問の余地を残さないために、「一八三九年条約である、前記の五国間条約の規定を破棄もしくは侵害することなく」、別に新条約をベルギーと締結したのである（八月九日）。この英普仏間の新条約においてプロイセンは「北ドイツ連邦（プロイセン及びその他北ドイツ諸州の普仏戦争当時における呼称）はフランスと戦争しているが、プロイセンはベルギーの中立を確実に尊重する」と誓い、フランスもまた同様の約束をした。英国は自己の態度を誤解させないよう、もし普仏両国の何れかがこの協定を破りベルギーに侵入するようなことがあれば、直ちにこれを攻撃することを明らかにした。

この普仏戦争で、ベルギーの中立が守られた例を二つあげることができる。第一は、ナポレオンとその軍隊はセダンの包囲を脱してベルギーに逃れ、セダンでの降伏という不名誉を避ける機会があったが、それはしなかったのである。第二はセダン落城後、プロイセンはその負傷兵をベルギーを経由してドイツに輸送する許可を求めたが、拒否された。

ハーグ条約の規定

ベルギーに関係ある他の条約は、一九〇七年、独墺を含む四十四カ国間に締結されたハーグ条約である。同条約は、ベルギーのような中立国の領土は不可侵とす、と規定している。

また同条約は「交戦者は軍隊または弾薬もしくは軍需品の輜重をして、中立国の領土を通過せしむることを得ず」と規定している。

さらに同条約は「中立国がその中立の侵害を防止する事実は、兵力を用いる場合といえども、これを以て敵対行為と認むることを得ず」と規定している。

第二章　ドイツ大臣の四回にわたる約束

二宰相の約束

前章で述べたのは、世界公法の一部というべき諸条約によって保護されたベルギー中立のことであった。

ドイツの法律解釈

ドイツはこれら条約に署名し、これを保証しただけでなく、ドイツの代表的な国際法教科書中でも、また二宰相二国務大臣の発言の中でも確証を与えている。まず『国際法ハンドブック』では、その第三巻十六章九十三、百八、百九の各頁で、ベルギーは如何なる場合においても例外なく絶対不可侵であると述べている。続いて同書は、ベルギーの中立を保証するような条約は、大きな「進歩の象徴である」と宣言し、またこれを保証した諸国は要請の有無に関わらず条約厳守のために干渉しなければならないと書き、さらに「欧州の状勢を最も不安定にするものは、列国が国際的信義に関するこれらの義務を勝手に放棄することである」と断言している。

ビスマルクの言明

次に、ドイツ大宰相の言明について述べよう。一八七〇年、フランスがプロイセンに宣戦布告した時、ベルリン駐在のベルギー公使は、プロイセンが窮地に追い込まれた場合、諸条約を無視してベルギーの中立を侵害しないだろうか、と恐れた。だがドイツ宰相ビスマルクは、心配無用、それはない、と請け負った。

七月二十二日、ビスマルクがベルギー公使に送った文書中には「諸条約が有効な間は不必要であるとは思いますが、私が口頭で請け負ったことを確認できるよう、北ドイツ連邦及びその同盟諸国はベルギーの中立を尊重する、との宣言を文書で貴殿にお送りします」とあった。

そして前章で述べたように、この宣言は尊重されたのである。

ベートマン・ホルヴェーク及びフォン・ヤーゴーらの声明

一九〇五年、ブリュッセル駐在のドイツ公使はある公式の宴席で、「ベルギー中立の尊重はドイツの政治的原則である」と述べた。

六年後すなわち一九一一年、ベルギーはドイツのある新聞の記事に関し、ドイツ政府に抗議すべき必要を感じた。その後、当時の宰相（フォン・ベートマン・ホルヴェーク）は、「ドイツはベルギー中立を侵害する意思は全くない」と言明した。

一九一三年すなわち欧州大戦の前年、外務大臣（フォン・ヤーゴー）はドイツ帝国議会予算委員会（四月二十九日）において、独軍はベルギー中立に関して配慮する考えがないのではないか、との意見をもつ某議員に対し、「ベルギー中立は国際条約の規定であり、ドイツはこれらの条約を尊重することを決意している」と説明した。ところが他にもこのような疑惑を抱いていた議員がいたので、陸軍大臣は起立して「ドイツはベルギーの中立が国際条約によって保証されている事実を忘れることはない」と述べた。

侵入前夜の再三の保証

一九一四年となって独仏の間でまさに戦争が勃発するという時、ベルギーの外務大臣は、ドイツの条約上の保証と諸大臣の言明を信じ、ベルギーの中立が侵害されることはないだろうとの見解を示した。その当日、ブリュッセル駐在のドイツ公使はベルギー政府に対し、「(先年ベートマン・ホルヴェークの言明した)ドイツの意向に変更はない」と伝えた。二日後すなわち八月二日、独軍の動員が始まった。ブリュッセルの同ドイツ公使は不安を感じていた記者たちと会見し、「軍はベルギーの領土を通過することはない」と言明した。同公使はベルギー外務大臣とも会見して、「ベルギー国民はドイツの行動を心配する必要はない」との見解を述べた。

極秘の要請

しかし、こうした保証がなされたその日の夜、ドイツ公使はベルギー政府に一通の公文書を提示した。それには「極秘」と記してあり、翌朝七時前まで、すなわち十二時間以内に、独軍のベルギー国内自由通過を許可するよう要求していた。そして、もしベルギーが拒絶した場合、同国を敵国と見なす、という脅し文句も含まれていたのであった。

悪魔の相貌
ベルンハルディ「戦争は単に国家の生命に必要な要素であるのみならず、“ドイツ文化”には不可欠な要素である」
サタン「余はその意見に心から賛成する」

二　ベルギー侵入

第三章　ベルギー侵略される

卑劣と高潔との対照

ベルギーの苦境

この重大な危機に直面したベルギーはどう回答したか。ベルギーの人口はドイツの六千万に比し、わずか七百万に過ぎない。軍事的に見れば、あたかも巨人に対峙する小人である。ドイツ宰相は後に「必要の前に法律なし」と述べたが、ベルギーもそのことを悟ったであろう。ベルギーの立場は、あたかも風前の燈のようなものであった。動員には一週間の余裕さえもなかった。だが、ベルギー政府の第一の義務は自国民の生命・財産の安全を保障することである。

フランスにとってベルギーはしばらくの間小さな楯となることはできても、フランスはベルギーにとって何の役にも立たなかった。ただ頼みとする英軍の来援も、英国の当時の状況から推測すれば到着までに時間がかかるため、全然期待できないように思われた。ベルギーの判断に許された時間は一夜のみ。そして決断した。ベルギーがその名誉を全うするには、侵入者に対して軍事行動を起こすしかない、と。

米国のある有名な法律家が言うように、「あらゆる物質的な利害が、強大な隣国の要求を受け入れるべきことを示唆していた。ベルギー国内を通過して迅速に進軍し、フランスの虚に乗ずればドイツの成功は容易になるだろう。ベルギーは、ドイツの勝利に貢献したとして戦勝の分配に与る地位にいガエ族の名誉を傷けることを選ばなかったのである」。

ベルギー人は結局、カエサルが『ガリア種族中最も勇敢である』と称えた古代ベルガエ族の名誉を傷けることを選ばなかったのである」。

ベルギーの行動

ベルギーがとった行動は次のような回答の送付であった。これは確かに歴史上最も崇高なものの一つであった。

「ドイツ政府が予告するベルギー中立の侵害は、明らかに国際法を蹂躙するものである」

「ベルギー政府がこの要求に応じたならば、国家の名誉を犠牲にし、また欧州に対する義務を放棄することになる」

「ベルギー政府はその権利を侵害する者に対し、全力をもってこれを撃退することを決意した」

翌朝独軍はベルギーに侵入した。その時の恐るべき光景は後章で述べよう。

劇的な光景

ベルギーの外務次官M・ド・バソンピエールの述べた物語をここに載せても、本論の進行の妨げにはならないことと思う。この人物のみならず、ベルギー外務省中誰一人としてドイツの通告に対しては拒絶する以外ないと憤慨せぬ者はなかった。バソンピエールによると、この時の皆の感情は概して次のようなものであった。

「砕けるのならば見事に玉となって砕けてみせよう。我々の運命は、ドイツの要求に応じた場合よりも酷いものになることはなかろう。我々がドイツの要求に応じたならば、どんな顔をして英仏人に会うことができようか」

回答を送付した翌朝、駐白（ベルギー）英国公使館付一等書記官ウェッバーはドイツの通告及びベルギーの回答を求めて外務省を訪問した。バソンピエールはこの時の出来事を次のように記述している。

「ウェッバー書記官は文書の大意は知っていてもその詳細を知らなかったらしい。私は氏に双方の文書を読んで聞かせた。『ベルギー政府がこの要求に応じたならば、国家の名誉を犠牲にし、また欧州に対する義務を放棄することになる』という文章を読んだ時、私は嗚咽しそうになった。全く感情が私を支配したのである。それでも私は最後まで読み続けた」

「ウェッバーは私の前に直立したまま、不動の姿勢を取っていた。氏は突然私の両手を握り、しばらく無言で私を見つめていたが、少し震えた声で『ベルギー万歳！』と叫んだ。氏は二つの文書を筆記すると、急いで公使館へ帰った」

ドイツの失態

少なくともある一人のベルギー公人の意見は、ベルギー国防の弱点を把握しているドイツは、それを根拠として威嚇するだけでベルギーは独軍の領内通過を認めると想像しているようであり、故にベルギー政府が強硬な回答をすればドイツは侵害を躊躇するであろう、というものであった。「ドイツが友邦の中立を不当に侵害し、世界大戦を開始する政治的失態はあまりにも重大である。それは世界の非難から逃れられるはずもなく、最終的な調整の時にこれが非常に重くのしかかってくるであろう」

と。

しかし周知のように、ドイツはそれを悟らなかったのである。それでベルギー政府は自国の義務遂行に着手した。

外交官たちの感動

バソンピエールは独軍侵入の当日、宮中の陛下の御前における感動の状況について次のように述べている。

「室の中央に、他の人々から少し離れてオーストリア公使館参事官が立っていた。この人物がその場に居合わせたのは偶然である。その劇的な出来事とは全く関係のない、本国政府のある照会を携えてきたのである。彼も大勢の人々の感動の中にあって、耐えかねて涙を拭っていたのである」

この歴史的な謁見の場で、国王は「仮にベルギーが物質的に滅亡するとしても、無法な侵入者に対し全力で抵抗するならば、世界の尊敬をかち得て精神的に復興するであろう」と宣言し、外務大臣も「我々は征服されるとしても、決して服従はしない」という挑戦的な言葉をドイツに向けて発したのである。

「涙が外交官たちの眼から落ちていた。この涙こそ、このような勇敢な言葉を発した人々の心に共鳴する、最も名誉ある涙だったのである。このような決心をもってベルギーはその政治的名誉を極限まで貫き、遂に栄光ある国となったのである」

第四章　ドイツの口実

「フランスはドイツより先に侵入したであろう」

ドイツはその忌まわしい行為について口実を設けるために、前例のない手段に出るであろうことは予想されていた。

罪の告白

ドイツは条約上の契約を悉く破って行動した。

ドイツは自国の外交官たちが保証したことを覆した。

ドイツは自国の国際法の教科書中に明記された条約上の義務に反する行為に出た。

国境においてドイツに反抗した無害のベルギー人を殺戮、ドイツは人道上許されない暴挙を犯した。

世界中からの憤激の声に直面したドイツ宰相は、ドイツが「国際法違反」を犯したという否定できない事実を、すぐに帝国議会で認めざるを得なかった。また「ベルギーの正当な抗議」及び「ドイツが犯した過ち」についても語ったのである。これ以上明白な罪の告白はないだろう。

フランスに対する誹謗

それから口実を作り始めた。フォン・ベートマン・ホルヴェーク（議会で）とフォン・ヤーゴー（ベルリン駐在ベルギー公使との会談で）は共に、ドイツがもしベルギーに侵入しなければフランスが先

「何の問題もない。もし俺がやらなければ、誰かがやるに決まっている」
ドイツは、独軍がベルギーに侵攻しなければ仏軍が侵攻していただろうという全くの言い掛かりをつけた。

に侵入したであろう、いや既にフランスはその準備をしていた、と弁解した。

欧州には「言い訳は自らを罪に陥れる」という格言がある。フランスがドイツに先んじてベルギーに侵入する意志があったという証拠は、未だかつて挙げられていない。しかしドイツはこの言い訳を繰り返していたのであるから、もしそのような事実があったのなら、必ずやドイツはこれを立証するために持ち出してきたはずである。だがそのような事実はなかったのである。

他方フランスは七月三十一日、以前の確約を繰り返し、英国及びベルギー政府に対して「ベルギーの中立尊重を決意している」と伝えた。ベルギー首都駐在のフランス公使はまたベルギー政府に対し、「たとえベルギー国境に相当数の軍隊が集結しても、仏軍がベルギーに侵入するようなことはない」と明言した。これらの確約に加えて、フランスはベルギーを通過してドイツに攻撃を仕掛ける用意がなかったという証拠を挙げることができる。その証拠というのは、フランスがベルギー政府からの救援要請を受けて二週間後に、漸く相当数の兵力を投入できたという事実である（ベルギー侵入及び英仏露に対する軍事的援助の申し出は八月四日、仏軍騎兵の一部が到着したのは八月五日、相当数の仏軍が到着したのは八月十六及び十九日、英軍がモンスに上陸したのは八月二十二日）。

フランスがドイツに先んじてベルギーに侵入しようとしていたというドイツの主張が言い訳に過ぎないことは、ドイツの最後通牒にその証拠が書き加えられていなかったことからも明らかである。最後通牒にあったのは、ただドイツ政府は仏軍がベルギー領土を侵犯する「意志がある」との情報に接したというに過ぎなかったのである。

八月四日のドイツ宰相フォン・ベートマン・ホルヴェークの議会演説も同内容であった。宰相はただ「フランスはベルギー侵入の用意がある」と述べたに過ぎなかった。ベルギー政府は「フランスに対するドイツの奇怪な誹謗について多く語るは無用」と説明した。ベルギー政府は、フランスによるベルギー侵入の兆候はなかったと明言している。

フランスに対する誹謗止む

ドイツ外務大臣フォン・ヤーゴーは、ドイツがベルギーに侵入しなければフランスが先に侵入していた、というドイツの主張が口実に過ぎないことを自ら立証した。八月四日、ベルリン駐在の英国大使と対談中、外務大臣は次のように述べている。

「ドイツは最も迅速かつ容易なルートでフランスに進攻し、作戦を有利に進め、できるだけ早期に決定的打撃を敵に与える必要があります。これはドイツにとって死活の問題であります。独軍が南方より進軍した場合、道路の不備と要塞の堅固によって強力な抵抗を受け、多くの時間を費さなければ目的を達し得ないでしょう。この時間の損失は、すなわち露軍がドイツ国境に近づく時間を与えることを意味します。迅速な機動が独軍の大きな強みですが、露軍の強みはその無尽蔵の兵力にあります」

またその前日、フォン・ヤーゴーはベルリン駐在のベルギー公使に対して次のように述べた。

「ドイツが両方面からの挟撃を避けるには、まずフランスに決定的打撃を与え、転じてロシアに向うようにしなければなりません」

それに対して公使は「しかしフランスの国境線は長いからベルギー通過を避けられるのではありませんか」と問い、フォン・ヤーゴーは「その国境線はあまりに要塞が堅固なのです」と答えている。

ベルギーの主張の正当性、独大臣が認める

この会見の続きも興味深い。大臣はベルギー公使に向かってこう述べた。

「ドイツが貴国にお願いするところは大したことではありません。ただ自由通過の許可を受けて、独軍の必要とするフランスの要塞地点を占領したい、というに過ぎないのです」

公使はその返事には困らなかった。「もしフランスが同様のことを我が国に頼み、我が国がそれに応じたとしたならば、貴国は我が国を卑怯な、誠意なき国家と言うのではありませんか」

フォン・ヤーゴーがこの問いに答えることができなかったのは当然であろう。

公使はさらにこう続けた。「いずれにせよ、貴国に何か我が国を非難する理由がありますか。我が国は過去七十五年間、ドイツのみならず他の列強に対して中立の義務を果たしてきたではありませんか。我が国はドイツに忠実なる友邦としての姿勢を示してきたはずです。これに対して、ドイツは何をもって報いるおつもりでしょう。ベルギーを欧州の戦場にするおつもりですか。近代の戦争が如何に荒廃と惨禍とをもたらすものか、わかっておられるでしょう」と。

フォン・ヤーゴーはこれに対して、ただ「ドイツには何もベルギーを非難する理由はありません。ベルギーの姿勢は常に正当でした」と答えたのみであった。

ベルギー公使は、「ならば貴下は、ベルギーが名誉を失わないためには、今回答したもの以外のことは言えないことを認めなければなりません」と答えた。

これに対してフォン・ヤーゴーは「一個人としてはそれは認めますが、外務大臣としてはそれを申し上げるわけにはいかぬのです」と答えたのみであった。

野蛮人の如くベルギーに侵入する独帝
「至るところにドイツ」と書かれた祭壇上に生贄としてベルギーが置かれている。
一章、二章のベルギーの中立維持に関する約束の項参照。

第五章　英国開戦の決断

英国民が戦争に向かった理由

「ただ一枚の紙きれ」

フォン・ヤーゴーについてはここまでにして、八月四日、宰相フォン・ベートマン・ホルヴェークはベルリン駐在の英国大使に向かって「非常に興奮しながら」、ベルギーの中立を守るためには戦争も辞せずとする英国政府の行動は、実に「とんでもない」と苦言を呈した。「中立の一語はただ一枚の紙きれ」に過ぎぬではないかというのである。

英国大使は答えて、英国の名誉のために「ベルギーの中立を守るために全力を尽すという厳粛な約束は守られるべきです。この厳粛な約束は絶対守らなければなりません。もし守らなければ、将来英国との約束を人は信用しなくなるでしょう。その結果が憂うべきものになろうと、それは厳粛な約束を破る口実には到底なり得ません」と述べた。

英国がドイツに発した数度の警告

戦争前夜ドイツは、ベルギーの中立を守るという欧州の義務に関する英国の意見に耳を貸さなかったことは、説明しておいたほうがよいだろう。

七月三十一日、英国は独仏両国に対し、両国は欧州の公法を遵守し、かつベルギーの中立を尊重する具体的な保証を要求した。フランスはこれに対し直ちに保証を与えたが、ドイツは答えなかった。

八月一日、英国はドイツに対し、もしベルギーの中立を侵害するようなことがあれば、「英国は激昂する世論を抑えるのは非常に困難である」と警告した。

八月四日、独軍はベルギーに侵入した。ドイツは再び英国から「容易ならぬ結果を来す恐れがある」から、「既に土壇場に差し掛かってはいるが」再考してほしいという要請を受けた。ドイツはベルギーに対する攻撃を止めるわけには行かぬ、と断乎拒否した。この時になって初めて、英国は渋々ながらも宣戦を布告したことは、全ての公文書が示す通りである。

英国民の感情

英国政府は先に、もしベルギーの中立が侵害された場合、英国民の激昂を抑えることは非常に困難であると通告していた。これは英国民の性格を正しく予想したものである。ドイツが一八七〇年の戦争のように、フランス国境を越えてこれを進撃するだけで満足していたならば、英国の世論は宣戦に対しては強硬に反対したことであろう。フランスの有名な政治家クレマンソーが述べているように、「ベルギーの中立が侵害されなければ、英国がいつ剣を抜いて立つか誰にも分からない」のである。

英国はフランス側に立って戦う義務はない。フランスとは協商を結んだのみで同盟国ではなかった。エドワード・グレイ卿が七月三十一日付の公文書で説明したように、フランスはロシアの同盟国なので戦争に加わったのである。セルビアの紛争は「フランスの関与するものではない」、「この地には誰一人として、この戦争が英国の条約または義務に関わると思う者はない」とグレイ卿は書いている。

ドイツの英国懐柔策

しかし英国は、フランスがその国境から攻撃を被ってもフランスの味方として立つ義務はないが、ドイツがベルギーを通過してフランスを攻撃すると脅した時は、英国の欧州公法に対する義務が直ちに関わってくるのである。公法ではベルギーは「永世中立国」であると宣言している。ドイツはもし自国がこの条約を蹂躙すれば、英国の世論にどれだけ影響を及ぼすかよく分かっていたはずである。これはドイツがフランスと戦争中、英国はただ傍観してドイツにベルギーで思うままにやらせてくれ、という依頼を、英国は幾度となくドイツから受けたことからも分かる。一週間の内に前後四回もこれを頼んできたのである。

七月二十九日、ドイツは、ベルギーの中立尊重は約束できないが、しかし英国が傍観するというならば、ドイツは欧州におけるフランスのどの地域も併合することはない、と主張した。これが、英国首相が「破廉恥」と非難したドイツの提案である。

八月一日、ロンドン駐在ドイツ公使は、英国が中立を保持すればその代償として「フランス及びその植民地の保全はドイツがこれを保証することを提案した」とエドワード・グレイ卿は記録している。

八月三日、ドイツ大使は（ロンドンの諸新聞に寄稿して）「もし英国が中立を維持するならば、ドイツは全ての海軍作戦を放棄し、ベルギー海岸を根拠地として使用しない」と申し入れた。

八月四日、今度はドイツ外務大臣が「ドイツはベルギーでどんな軍事的行動に出るとしても、ベルギーの領土を併合するつもりはない」という「極めて前向きな保証」を携えてきた。

英国世論の沸騰

もし英国がベルギーの中立を保証する一国としての義務に目を瞑り、ドイツのベルギー侵入を容認する意思を示したならば、少なくともしばらくの間は参戦は避けられ、自己の利益を守ることができたのは明らかである。

英国が参戦したのは全く公益のためであり、排独思想に刺激されたからではない。それは、八月三日にフランス大使が自国政府に送った文書を一読すれば分かる。それには「下院で英国の支援を求めるアルベール国王の親書が奉読され、議場を深く感動させた。下院は今夕軍事費支出を決議する。支援が得られるのは確実である」と書かれている。

アスキス首相の宣言

英国首相は下院でこう宣言した。

「これだけは言える。我々が躊躇したり妥協していたなら、我が国は不名誉を蒙らざるを得なかった」

「我々は厳粛なる国際的義務を履行するために戦っている。この義務は、日常生活における人間関係であれば、単に法律上のみならず名誉上の義務とも見なされるもので、いやしくも自尊心ある人はこれを反古にすることはできないのである。物質的な力が人類発展の要因であり支配的影響を及ぼすと思える時代にあって、小国といえども強大不遜な大国の意志のままに、国際上の信義に反して蹂躙されるべきではないという原則を守るために、我々は戦っているのである」

「このような原則を維持することは、世界の文明化に不可欠のものである」

英国の経歴

英国下院の場合と同様に、英国民一般の世論もまた、苦闘するベルギー国民の憐れむべき訴えにより、その「援助」を支持した。日本の中学生なら誰でも知っていることだが、英国民は、その欠点がどうであれ、「自由のために戦う」という大義のために無私無欲で献身してきており、世界の国民の中で特に名誉ある地位に立つものである。

有名な某作家が「英国人は空想にはあまり動かされない国民である」というのはその通りかどうか分からないが、その作家は続けて「しかし、大義のためには頑強に戦うという立派な歴史を有している」と述べている。最近バルフォアは、多くの小国が独立するに至ったのは、英国が海上に敵する者を持たなかった過去二世代間のことであると指摘している。すなわち「イタリアは統一され、ギリシャはその独立を得、ベルギーは一国を形成し、南米諸共和国は建設され、そしてモンロー主義は生れた」のであると。なおこれに、英政府が奴隷売買の悪習を終わらせたのも、英国が海上に敵する者を持たなかったその時代だった、とバルフォアは付記することもできただろう（付録「世界史に見る英国人の特性　スイス人記者が集めた過去百年間の事跡」参照）。

英国人はギリシャの独立を確立するために血を濺いだ。その血の内には詩人バイロンの血も混じっている。その時と同様、ベルギー王国を樹立するために英国は尽力した。

オーストリアの束縛を脱しようとするイタリア人の大義に対して、英国ほど血と金で熱烈な同情を寄せた国はなかった。またポーランド人には、ロンドンで得たような情に厚い友は未だかつてなかったのである。

リンカーンが黒人奴隷制度のない合衆国を建設するために南方諸州と戦っていた時、英国人の中の最も善良な人々は全てリンカーンに味方し、殊にランカシャー紡績工場の従業員は、奴隷が作った綿を使うことを潔しとせず、飢えに苦しむことを選んだという特筆すべき美談がある。

英国史上最も注目すべき宰相の一人は、ブルガリア人虐殺に対しトルコに制裁を加えようとしたロシアに同調しなかったために、その地位を失うに至った。

英国は利害でブルガリア人の運命と関わろうとしなかったのと同様に、アルメニア人虐殺に対しても英国の利害は何ら影響を受けるものではなかった。しかし英国は、彼らの救済のために数百万円の義捐金を拠出した。そして英国政府の自国に何ら利益のないこの種の外交は、ドイツやオーストリアによって嘲(あざけ)られたのである。これら両国は、その世界に対する関係が全て利己的であることを公然と標榜しているのである。

南アフリカ事件とドイツ

将来連邦となる南アフリカにおけるドイツの謀略は、英国がその地で戦争を強いられた主な原因である。この開戦に対しては英本国の思慮ある人士は猛烈に反対したのであったが、この戦争が終結するかせぬうちに、英国は自国に反抗したボーア人に完全な自治権を与え、世界を驚かせたのである。今日二人のボーア人の将官は、英軍及びボーア軍を指揮してドイツに正当な復讐戦を行っている。すなわちこの二将軍はドイツ領南西アフリカを占領し、また独帝が有する最後の海外領土であるドイツ領東アフリカをほぼ完全に獲得したのである。

もしドイツが南アフリカで英国の地位にあり、ドイツが英国に行ったようなことを行われたら、またドイツが英国よりも強大な海軍を持っていたならば、ドイツが如何なる行動に出たかということは察するにあまりある。当時ドイツ議会における討論中に、そのことがはっきりと示されている。また当時の宰相フォン・ビューロー公の著書で、この戦争中に再版された『ドイツ政策』中でも明言されている。ドイツは全く弁解の余地のない、完全に利己的な干渉を実現するためにその海軍力に訴えたことであろう。

ドイツとアイルランド

しかし英国は、ドイツなら行ったであろうこの種の行動は採らなかった。英国は既に南アフリカで血を流したことを悔いて、欧州で再び戦争するようなことは望まなかったのである。当時の英国のドイツに対する寛容の態度（フォン・ビューロー公は右の著書中に、その当時の国際情勢は英国にとって不利ではなく、またドイツはまだ戦争準備ができていなかったことを認めている）は、今次の戦争においてその結果を現し、アイルランドにおけるドイツの謀略となったことを知るのである。アイルランド問題の解決は、他のどの帝国でも許されないような言論及び集会結社の自由の下に達せられた。これはアイルランドに居住した人でなければ実際理解できないことである。その困難な和解が一時ドイツの謀略によって冷酷に潰されたことは、英国民がドイツに始末書を書かせる事項になお一項目を加えたわけである。

その他の事項については後章で詳細に述べるつもりである。

第六章　殺人犯が被害者の人格を非難

ドイツがベルギー及びその隣国に加えた誹謗

「あなたは、我々ドイツ人は勇敢にして無敵の天使より成る神聖な国民であり、周囲には殺人者、悪漢が取巻いていると信じさせようとし、荒唐無稽な妄想を広めようとする者である」マクシミリアン・ハーデン(ドイツの評論雑誌『ツークンフト』)

ドイツはなぜベルギーに怒るのか

八月三日にドイツ外務大臣はベルギー公使に対し、「ドイツには何もベルギーを非難する理由はありません。ベルギーの姿勢は常に正当でした」と認めていることは既に述べた通りである。しかし、その後ドイツはベルギーに対して激怒してきたのである。その理由は、第一はベルギーがドイツの予期に反して猛烈に自国を防御した、第二はベルギーの抵抗により独軍のフランス侵入が一時阻止され、計画に齟齬を来たしたからである。

ドイツは、フランスへ侵入できるのなら、条約の破棄や無抵抗の人民を虐殺することは何でもないと高をくくっていたが、遥かに強大な敵に対し勇敢に戦うベルギー人に、世界の同情が集まっていることを実感し始めていた。

それ以来ドイツはベルギー政府及びベルギー国民、またベルギーと関係のある英仏両国に対して、乱暴でしかも稚拙な非難攻撃を連発した。これらの取るに足らないドイツの対連合国非難も、ある部分は日本の一部で信用されて広まっているようなので、その主要な点だけでも訂正しておくことは必要であると思う。

いわゆる英白協約

ドイツ人が最も好んで指摘しているところは、ベルギーは英国との関係上中立を遵守しなかったというものである。このドイツの指摘は一九〇六年に起った事件に基づいている。同年、モロッコ問題についてのドイツのフランスに対する態度は特に攻撃的であった（十六章参照）。そのため当時英国より二人、ベルギーより二人の軍人が会合して非公式に意見を交換した。この時の公文書はその後しばしば公表されているから、これを読めば直ちに、この会議はベルギーの中立がドイツに侵害される前ではなく、侵害された後の処置についての内容であることがわかる。それゆえ英白両国間に、軍事的協約に類するようなものは締結されていなかったことは明らかである。

第一に、英国が「ドイツへの反撃を目的として共同行動に出ること」をいよいよ約束したのは八月五日のことで、ドイツがベルギーに最後通牒を発してから六十時間以上も経過した後である。

第二に、戦争が勃発してから英軍が到着するまでにかなりの日数を要した。

さらに付け加えるならば、ベルギーと英国との関係において、ベルギーに対するドイツの言い分ははなはだ弱いものであったから、関係文書を発表するにしてもいろいろ小細工を弄したのである。例えば「内密の意見交換」と言う言葉を「秘密協約」と訳している。またベルギー陸軍省における覚書の日付が「一九〇六年九月末」と書いてあるのを「一九〇六年九月締結」と訳した。全て協約に見え

独兵の夢
破壊され、落下した教会の石像が独兵の夢に出て詰責。独軍ほど多くの教会を破壊した軍隊はない。

るようにするためである。

ドイツ人が英国に対して行う種々の非難攻撃は、その攻撃が無意味になる一つの事実を意図的に無視している。すなわち一九一三年に英国はベルギーに対して、初めは口頭で、次いで文書をもって、英国政府は「ベルギー中立を最初に侵害しない」という保証を与えていることである。

ドイツ宰相の虚言

ベルギーの不誠実を攻撃しているドイツの政治家たちは、自己の誠実に対する観念は果たしてどんなものかと人に不審を起させる。戦争前、ドイツ政府はベルギーに対し、中立国としての義務の遵守を非難していなかったことを我々は知っている。また我々はドイツがベルギーに送った最後通牒の中で、「両国を結ぶ友好関係」について述べていることも知っている。また我々は、宰相フォン・ベートマン・ホルヴェークが、ドイツのベルギー侵入はベルギーに不法行為があったからではないことを認めている（一九一四年八月四日）ことも知っている。ドイツは「過ち」を犯し、ベルギーの「正当な抗議」を無視して行動したとホルヴェークも述べている。しかしその数カ月後（一九一四年十二月二日）に宰相はドイツ議会で、自分はその時「軍事的観点」でそのように述べたのである、と抗弁している。宰相は当時ベルギーがドイツの出した条件に合意する見込みはあったと述べ、実を言えば当時ドイツ政府はベルギーの不法を「推定」しており、またそう推定する「証拠」もあったのだと主張していた。

しかしフォン・ヤーゴー外相は、一九一六年四月六日に宰相の発言を曝露してしまった。宰相は一九一四年八月四日に演説したとき「ベルギーが既に中立を損ねていたことを知ることができず」と述べ、ベルギーの「責められるべき咎」は「その後実証」されたのだ、と外相は述べている。

かつてある有名な政治家が、内閣である事項が決定された後、同僚の閣僚に向かって「この決定で物価は上がるのか下がるのか、何を言ってもかまわないが、ただ人に話す場合にはどちらか一方に決めておこう」と言ったことがあるが、ドイツの宰相も外相も他山の石としてこの話を聞いておくとよいだろう。

クルップ社に問え

ベルギーが英仏両国と結んで自国の中立を危険にさらすという愚かな行為をしたのだから、ドイツがベルギーに加えた行為は許される、という卑劣な言い分に対して、なおこれに抗論する必要があるとすれば、ただ次の事実に注目すればよい。外国から輸入したベルギーの武器は、英仏製ではなく、全てドイツ製である。開戦当時、ベルギー政府とクルップその他のドイツの兵器会社との間に発注残が大量にあった。実を言えば、ベルギーの兵器と、同国の中立援護の嘆願に応じて同国救助に赴いた諸国の兵器が違っていたことと、ベルギーが軍再編の中途でドイツの攻撃を受けたことは、ベルギーにとって非常に不利に働いた。

三方面の防衛体制

実際各国の軍事界に知られている通り、ベルギーの防衛体制は英国、フランス及びドイツの三国に等しく対抗して画策されていた。すなわちアントワープの要塞は英国に対し、ナミュールはフランスに対し、そしてリエージュはドイツに対しての防衛を想定していたわけである。平時におけるベルギー陸軍の演習は交互に英国、フランス、またドイツの侵入を想定して行われた。実際戦争前、ベルギー陸軍はオランダが動員するまでは動員しなかったのであるが、第一師団は英国に対して、第四師団及び第五師団はフランスに対して、そして第三師団はドイツに対して動員する計画であった（第二師団及び第六師団は予備）。

ベルギーがその各師団の位置を変更したのは、実にドイツの最後通牒を受け取ってから二十四時間後のことであった。言い換えれば、ベルギーは戦争前しばしば中外に宣言していたように、ベルギーの中立を侵害する如何なる国に対しても断乎として戦う用意があったという明確な証拠があったのである（ベルギーの外務次官は数カ月前に、隣国の侵略への対抗手段は入念に研究していると明言した。また一九一三年の初めにベルギーの外務大臣は、「敵軍が将来オーステンデその他に上陸した場合を考慮する必要がある、と特に陸軍省に注意を促した）。

この事実は一九一四年九月三〇日にベルギー陸軍大臣が出した声明でも確認されている。

「英国は、もしベルギーにその軍隊の予防的上陸を行えば、ベルギー軍は必ずこれに頑強に抵抗することを以前から承知していた。アガディール事件（十六章参照）の際も、ベルギー政府はベルギーの中立を列国に尊重させるために、同国駐在各国大使に対し誤解の恐れのない言葉で、如何なる方面を問わずベルギーの中立に害を及ぼそうとするものに対してはあらゆる手段を尽し断乎戦う、と強く警告して憚らなかったのである」

ベルギーに対するドイツの脅威

しかし率直に認めなければならないのは、ベルギーが、その隣邦中最も恐るべきはドイツである、という結論に達していたとしても少しも不思議はないということだ。なぜなら、これまで将来の独仏戦争を論じた軍事評論家の大部分は、ドイツは機先を制して必ずベルギーを通過してフランスに達するだろう、と公然と予想していたからである。彼らの予想の根拠となる合理的な事実が十分にあったのである（一例を挙げると、開戦数カ月前にパリで出版されたフランス上院議員と陸軍中佐の共著は、「ドイツがフランスに侵入する場合にはベルギーを通過する」と結論している）。

独帝と親戚関係にあり、ドイツに通じているルーマニアのカロル国王は一九一二年に次のように述べている。

「一八七〇年のような奇跡は今度は起きないだろう。ベルギーはその中立を侵害される大きな危険がある」

さらに、開戦の一年前にベルギー国王がドイツを訪ねた際、独帝は参謀総長フォン・モルトケ元帥列席の上、入念に準備された非公式の意見交換を行ったが、その効果は疑いようもなかった。独帝は、中立を守る軍事力の不足を懸念するベルギー国王が「深刻な印象」を受けるほど、フランスに対して激しい感情を示したのである。

さらにまた諸外国のオブザーバーは、「ドイツがベルギー国境に建設した多数の軍用鉄道は経済的必要性に釣り合わぬほど多過ぎる」と指摘していた。

『ドイッチェ・クリーゲ・ツァイトゥング』紙（一九一四年九月六日）が認めている通り、「ドイツのフランス侵略計画はかなり前から完全にでき上っていた。成功を期するにはベルギーを通過して北方より入る必要があった」ということであった。

ドイツの著述家中殊にベルンハルディ将軍は「ベルギーの中立は我が軍を阻止し得ない。中立は単に紙で作った防壁に過ぎぬ」と公言している。

最後に、一九一三年三月付の、後にフランスが入手したドイツ陸軍秘密覚書には、「次の戦争では、小国はドイツに従わざるを得ず、従わなければ征服されることになる」と書かれている。

ベルギーとスイス

当時世界は、ドイツがフランスに短期間で侵攻するために、その圧倒的な兵力でベルギーを圧殺することをある程度覚悟していた。しかし世界は次のことは全く予想していなかった。独軍がベルギーに侵攻したまさにその日に、ドイツ政府は同じ中立国のスイスに対して、「全スイス国民が不屈の意志を持って、スイスの中立を侵害するあらゆる企てを阻止する」ことを希望する、と表明したことである。実はその時ドイツ政府は、独軍が仏軍を分断し、その大部分をスイス国境まで追い詰めれば、それを潰滅させることができると期待していたのである。ドイツはまた、スイス人口の三分の一はドイツ語を話すという事実もその胸算に入れていた。

ベルギー人は反独感情が強いのか

一部のドイツ人が好んで口にするのは、ベルギー人が独軍に反抗したのは自国の中立を愛するがためではなく、ただドイツが嫌いなだけだ、というものである。しかし六万のドイツ人がベルギーに住んでいる上に、毎年二万人のドイツ人観光客がベルギー海岸のリゾート地を訪れている事実があり、ベルギー国内に強い反独感情があったとは思えない。

さらにベルギー前国王は崩御する少し前に「我が国にもドイツ人のような教育を受けた青年が欲しいものだ」と仰せられているが、明らかにベルギーの反独主義者に対して述べられたものではないのである。実際、米国人著述家が最近に出版した著書には次のように書かれている。

「ドイツ人が住み、商売をしている外国の都市の中で、アントワープほどドイツ人を尊敬し、厚遇しているところはない。同市ではドイツ人は営業権をはじめ各種の特権を得ていた。栄誉、勲章は盛んにドイツ人に与えられた。彼らは事ある毎に賓客として歓迎され、また同市の通りには著名なドイツ人居住者に因んで名づけられたものもあった。彼らは公的な席上で、自分の故郷とも言うべきアントワープ市に忠誠を誓っていた」

ドイツ人の背信

しかし、このように厚遇されていたドイツ人も、一度(ひとたび)機会が来ると躊躇なくアントワープ市民を裏切った。

「ベルギーの警察は、著名なドイツ系住民の家の地下室で、大量の弾薬と数百丁の小銃及びドイツの軍服を発見した。あるドイツ人の会社が、街を守る要塞の配線工事を請け負っていたが、いざとなるとそれはほとんど役に立たないことがわかった。ある裕福なドイツ人の私有地は要塞の濠に隣接しており、そのドイツ人は軍当局に、濠から水を私有地内の庭園に引き込む許可をもらえればプールを作って兵士が使えるようにしたい、と提案した。軍当局はこの厚意ある申し出を疑うことなく承諾したが、いよいよ戦争が始まるという時に濠は干上がっていたのである。また郊外のある場所では、ドイツの野砲を据え付けるためのコンクリートの砲座が見つかった」

このアントワープ市及びその周辺で起きたのと同様のことが、ベルギーの別の地域でも起きていた。東京駐在ベルギー公使によれば、ブリュッセル市に住む身分の高いドイツ人の家の屋根には秘密の無線装置があり、この装置は日中は取り外し、夜になると再び設置されていたと述べている。またベルギーの各都市が独軍の侵入・掠奪を受けた時、その地に住んでいたドイツ人が独軍の案内をしていたことが判明している。

コンゴ問題

ベルギーの中立に対する異常な非難は、ベルギーがアフリカのコンゴを併合したことに対するものである。しかしこれについては、ただベルギーの中立を保証した列国はベルギーのコンゴ併合も承認している、と言うだけで十分である。

ベルギーの防戦

あるドイツ人記者は、ベルギーは国防が不十分なためにその中立を侵されたと公言して憚らないが、しかし事実としてはベルギーは国民皆兵制度を実施し、総人口七百万の国の軍事予算は年三千五百万円であった。そして開戦の少し前には、三千五百万円の特別軍事費の支出を決定していたのである。さらに注目すべきは、ドイツ政府が突然最後通牒をベルギーに発してから十二時間以内にドイツ侵入軍が現れたにも拘わらず、ベルギー軍は直ちに応戦し、ドイツ当局が「英雄的抵抗」と認めるほどの反撃を行ったのである。

根拠のない非難

しかしドイツ側の場当たり的な言いがかりを一々取上げて真面目に反論していくのは、読者の知性に対する侮辱である。これらの主張の根拠となる証拠は何一つ示されていない。ここで我々が記憶すべきことは、こんな言いがかりをつけるドイツは、約束を破ることを何とも思わず、また世界の公法及びベルギーに対する罪状を他から責められてしぶしぶ認めるような国であるということである（フォン・ベートマン・ホルヴェーク及びフォン・ヤーゴーの発言を参照）。

危機におけるベルギーの行動

戦争開始の一、二日前、激しい緊張がベルギーに迫った時ほど、ベルギーが自国の中立を守ろうとする意志を顕著に示したことはなった。独軍は八月四日に国境を越えたが、ベルギー政府は八月一日に各自治体の長に通達を出し、「一国もしくは複数の国に対して反感を表明すること」を目的とした、如何なる種類の集会や饗宴を厳禁すると命じたのである。

八月三日、すなわちドイツの最後通牒の期限が切れて後、ベルギー国王は英国王に、ベルギーの保全のために「陛下の外交的干渉」を請うと依頼したのであった。

敵軍の侵入

翌日、ベルギー領が実際に侵略され、ベルギー軍が行動を起こして漸く、ベルギーは初めて軍事支援を求めた。この問題に詳しい著者（ワックスワイラー）は次のように書いている。

「信頼できる筋からの情報によれば、この時ブリュッセルの政府部内には、ロンドンからどんな回答がくるのか、強い不安があったという」

後世の歴史家は、今次大戦におけるベルギーの苦難は、ベルギーが自国の国境を実際に侵されるまでは、法の侵害と解釈されかねない如何なる援助も求めないという、名誉ある決断によるところが大きいことを間違いなく見出すであろう。

ベルギーの忠実

ドイツのベルギーに対する中立侵害を許可せよという要求を、ベルギー外務大臣は「驚くべき申し出」と言い、それに対して以下の感動的かつ勇気ある回答を提示した。一八三〇年代にベルギーの中立が確立したときから今回のドイツの侵略に至るまでの、ベルギーの行動に関する全ての事実は、その回答が全くの真実であることを保証している。

「ベルギーは常に国際的義務に忠実であった。忠実公平な精神で義務を果し、またその中立を維持し、それを尊重させるためにあらゆる手段を講じたのである。もしベルギー政府がドイツの要求を受け入れたならば、国家の名誉を犠牲にし、かつベルギー政府が欧州列国に負う義務に背くことになる」

米国に例えれば

ベルギーの中立を侵害したドイツの犯罪についてはこれまでいろいろと述べてきたが、なおここに記憶すべき一つの事実がある。たとえドイツがベルギーの中立を保証していなかったとしても、ドイツにベルギーを攻撃する権利などないのである。まして、自分が別に何の不満ももっていない人々に対して蛮行を恣（ほしいまま）にするなど、とんでもないことである。米国の記者が指摘したように、その理窟が通るならば、ドイツは米国を経由してカナダに侵攻する権利を要求してもよいことになる。

ドイツが主張したベルギー侵攻の口実はただ一つだけである。すなわち、ドイツ参謀本部はフランスと戦うのに自国内ではなくフランス国内で戦うことを望むという、全く冷酷で罪深い言い分である。彼らは「ベルギーを突破すれば」（フォン・ベートマン・ホルヴェークの言）ドイツは自軍に有利な戦場を確保できると考えたのである。

全て根拠なき非難

ベルギー侵入後に始まったベルギーに対する非難攻撃は、その何れについても確信をもって言えることがある。

第一に、それらの非難はただの一つも実証されていないこと、第二に、それらの非難はどれも明らかに後知恵によるものだということである。ドイツはその驚愕すべき行為を世界に対して正当化するために、急いで弁解する必要があると感じたのてある。ドイツはまた過去一年間、その政治家や評論家らが求めてきたベルギーの永久的併合のための根拠を、早めに用意しておく必要性があることも理解していた。その後連合国側が海陸両面で戦勝を収め、ドイツの政治家らのベルギー併合を求める声が弱まってきているように思われる。しかし一九一四年から一九一五年にかけて形勢が中央同盟国側に有利であると思われた時期には、ベルギーを併合する必要性がドイツで真面目に主張されていたことを、当時の新聞記事で確認できるのである。

ベルギーが降伏していたらどうなっていたか

この章で述べてきたベルギーに対するドイツの度重なる誹謗について、公平な読者は自問するに至るだろう。すなわち仮にベルギーがドイツの要求を受け入れ、独軍のベルギー通過を認めたならば、ベルギーの中立に対するドイツの態度はどうなっていただろうか、と。しかしこれは言うまでもないことである。ドイツの政治家や政治記者はすぐにこう言うだろう。「ベルギーはその中立を守り続けていれば、独軍に対抗することもできたであろう。しかしベルギーは自国の要塞を独軍が占領することを認め、自らその中立を放棄した。従ってベルギーの中立を廃し、これをドイツが併合することは正当である」と。

あるベルギーの政治家がこう書いている。

「世界は今、最大の試練が訪れたとき、ベルギーの中立を保証することで期待したことが果して実現したのか、それを判断する立場にある。またベルギーの側から見れば、中立という賜物は、結局自分

ベルギーの母親たち

たちにとって利益となるものであったかどうかを判断することができる」

ここに記憶しなければならないのは、初代ベルギー国王がヴィクトリア女王に宛てた手紙にあるように、一八三一年にベルギー国民は中立国になることを希望していなかったことである。中立は列国がベルギーに強要したものであった。

第七章　第一次世界大戦におけるベルギーの軍事的功績

ベルギー人の犠牲

ベルギー、再びドイツの要求を拒絶

ドイツの戦報によれば「非常に優勢な軍に対し勇敢に防戦したが」リエージュは遂に陥落、ドイツは再びベルギーに侮辱的な要求を行い、ベルギーは即座にこれを拒絶した。

オーストリアの宣戦布告

八月二十九日、オーストリアはベルギーに宣戦布告した。オーストリアがドイツと同様、ベルギーの中立維持を保証したことは既に述べた通りである。ベルギー政府はオーストリアの宣戦布告を認めると同時に、中外に「如何に弱国といえども、国民が義務を果さず暴力に屈し、名誉を犠牲にするようなことなどできない」と勇ましく言明した。

ベルギーの中立を保証する一国であるオーストリアの宣戦布告は、墺軍が墺製の臼砲でナミュールの要塞を粉砕した一週間後まで発布されなかったことは、その心理を示すものとしていくらか興味のあることである。しかしベルギーは、その臼砲が墺製で墺軍のものだったということは、ずっと後になるまでわからなかったのである。

ベルギー軍の抵抗

ベルギー軍が墺軍による恐ろしい破壊力の臼砲攻撃や、また雲霞のごときドイツの大軍に対抗して勇敢にリエージュを死守しようとしたことは、後世の史上に特筆すべきことである。守兵の五分の四は崩壊した要塞の石材の下に埋もれ、司令官自身も人事不省に陥って遂に捕虜となったのである。

総数わずかに十二万五千人のみで（戦争の前年、ベルギー軍を大幅に拡大する法律が通っていたが

AUX HABITANTS

DU

PAYS DE LIEGE

La grande Allemagne envahit notre territoire après un ultimatum qui constitue un outrage.

La petite Belgique a relevé fièrement le gant.

L'armée va faire son devoir !

La population du pays de Liége accomplira le sien !

Aussi ne cessera-t-elle de donner l'exemple du calme et du respect aux lois.

Son ardent patriotisme en répond.

Vive le Roi, commandant en chef de l'armée !

Vive la Belgique !

Liége le 4 Août 1914

Le Lieutenant-Général
Gouverneur Militaire de Liége
LEMAN.

独軍侵入時、リエージュでのルマン将軍の愛国的宣言

リエージュの住民に告ぐ

強大なるドイツは暴挙に等しい最後通告の後、我が国土に侵攻す。
ベルギー小なりといえども堂々とこれを迎え討つ。
軍はその任を全うすべし。リエージュの住民はその義務を果たすべし。
その上常に忍耐と法の尊重とに模範を示すべし。
その熱烈なる愛国心こそはその行動を支えるものなり。

軍総司令官たる国王万歳。
ベルギー万歳。

一九一四年八月四日
リエージュ軍政長官　陸軍中将ルマン

軍の再編前に侵攻が始まった）、敵軍に比して極めて劣勢だったが、十六日間（八月四日から八月二十日まで）よく攻撃に耐え、迅速にフランスに前進する敵の計画を完全に覆し、英仏両軍到着までの時間を稼いだのである。

この期間、ベルギー軍は巧妙に対処して包囲殲滅を逃れた。また八月二十日から十月六日までの長い期間、ベルギー軍は独軍の後方を撹乱し敵の兵站線を脅かしたために、独軍はパリ進撃軍の兵力を割ってベルギー軍に当たらざるを得なかった。十月六日以後はベルギー軍はフランドルからフランスに至る長い戦線を英仏両軍と連繋し、その一区域の防衛に当たっていたのである。ベルギー軍の常に勇敢な戦闘ぶりはイーゼルの会戦でも見られた。その時連合国はベルギー軍にある陣地の四十八時間確保を要請した。救援軍の到着は十日も遅延したが、ベルギー軍はよく支えて一歩も引かなかったのである。

戦争開始以来ベルギー軍が蒙った損害は、少なくとも十万を下らないとされている。

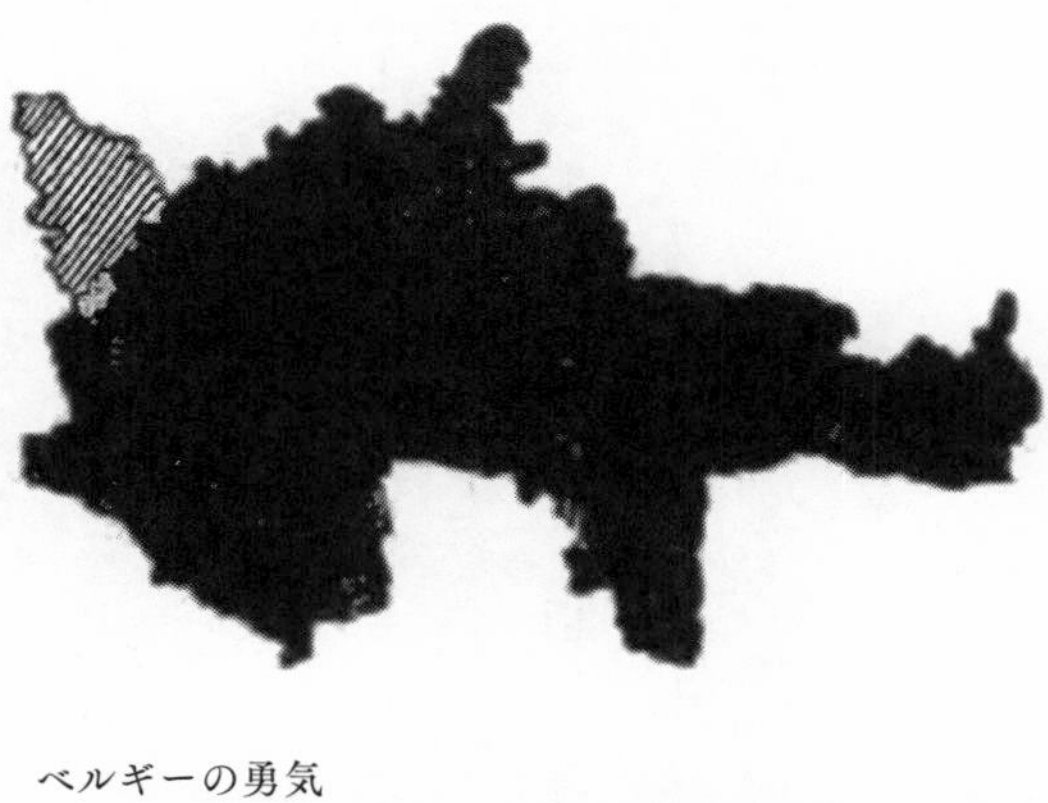

ベルギーの勇気
ベルギー（斜線）とドイツ（黒）の大きさの比較

ベルギー軍の今日の状況

独軍の断乎たる努力にも拘わらず、ベルギー軍は今もなお約八百平方キロメートルの国土を確保し、長さ三十五キロメートルの戦線を支えている。一九一四年の大敗にも拘わらず、ベルギー軍は今なお六個師団で敵に当っている。今日では、一九一四年にはなかった重砲及び多数の機関銃を保有している。また手榴弾も配付され、ベルギーの将校が発明した数回爆発する新式の手榴弾まであり、独軍に対して恐るべき威力を発揮した。飛行隊、騎兵隊及び機関砲も展開している。ベルギーの飛行機、機関砲はベルギー将兵がこれを扱うが、ロシア参謀本部の要求によりロシアに派遣され、そこで作戦に参加している。また装甲車を装備した四十個の中隊は各隊二、三丁の機関銃及び一門の大砲を備え、これはイーゼル方面よりもポーランド及びガリツィアの大平原で有用なものとなっている。

ベルギーの新兵

ドイツは兵役年齢に達したベルギー人青年の大量流出を防ぎ、同時に独兵の逃亡を防ぐために、ベルギー・オランダ国境に電気を流した鉄条網を張りめぐらしたことはよく知られている。この他歩哨及び警備隊は常に国境を警戒し、国境を越えようとする者を見つけ次第直ちに発砲するよう厳命されている。このような措置がとられているにも拘わらず、二万のベルギー人青年は生命を賭して自国を脱し、フランスにいるアルベール国王の軍に加わることに成功した。また外国に住み、または避難している数万のベルギー人の中からも多数の志願兵が加わった。これらの戦闘部隊の他に軍需物資を扱う部隊がある。これは比較的年配の者で編制されている。

連合軍がベルギーに与えた新たな保証

フランスの厚意により、ベルギー政府はその行政諸庁を目下ル・アーヴルに置いている。フランス政府はベルギー国王に、その市に用意された立派な邸宅にお移りになるよう申し出たが、陛下は自国軍に近い、質素な別荘をお使いになることを望まれた。筆者が聞くところによれば、アルベール国王は開戦以来一度も故国の土地を離れられたことがないという。国王陛下、ベルギー政府及びベルギー軍は、日本を含む連合国から「ベルギーがその政治上並びに経済上の独立を回復し、かつ同国が今日まで蒙った戦争の損害を十分に補償されるまでは断じて敵対関係を終わらせない」という保証を得て、大いに勇気づけられている。

上　戦争中ベルギー国王がお住まいの質素な別荘
下　ベルギー皇太子殿下
殿下は第十二連隊の一兵卒。ベルギー王妃陛下撮影。
どちらもデラ・ファイユ伯爵閣下のご厚意により提供せられたもの。

アルベール国王の日本刀

ベルギー国王は、大阪朝日新聞社主村山龍平代理の杉村広太郎特派員が献上した日本刀を所有しておられる。中川七郎右衛門尉行包（じょうゆきかね）が一五七七年に鍛錬したこの立派な刀は、次のような口上書を添えて献上された。

「…今回不慮の国難に際し、文明と人道の為めに比類なき武力を発揮して横暴の敵国に当たり、名誉を世界に輝かし給いし陛下の偉烈と白耳義（ベルギー）国民の義勇とは、極東締盟国民の衷心より感佩（かんぱい）〔深く感謝して忘れないこと〕敬慕に堪えざる所なり…」

アルベール国王に贈られた日本刀

第八章　ベルギーでの蛮行

誹謗中傷により怒りさらに高まる

野蛮なる敵

ベルギーが勇敢にも独軍の侵攻を阻もうと決意したとき、東京駐在のベルギー公使デラ・ファイユ・ド・ラヴェンハム伯爵はたまたまブリュッセルに帰還していた。彼は、強大な独軍の侵攻を前にしたベルギー人の心境を次のように書いている。

「我々は、この敵の強烈な第一撃が、ほとんど天然の要害のない小国（ベルギーは大部分平地）に実に恐ろしい影響を与えることは分かっていた。また我々は大きな苦しみを受けることも覚悟していた。ただ、我々は文明人と戦うものと考えていた。我々が驚愕したのは、戦争が始まってすぐ、我々が戦うのはどんな罪悪も厭わない匪賊の群だと知ったからだ。もしも事前にそのことがわかっていたならば、婦人、娘、子供、老人及び貴重な物は悉く安全な場所に移していただろう。西部ベルギーでは敵軍の侵入まで時間があったので、そのような対処ができたのである」

立証された事実

独軍がベルギーで行った暴虐については何ら疑問の余地がない。彼らの暴虐の事実はベルギーの裁判官、法学者、その他証拠の価値について公正な判断ができ、かつそのような経験を有する人々で構成されたベルギー調査委員会作成の二十二巻以上の調査報告書（ベルギー調査委員会は早くも一九一四年八月七日に調査を開始）、及び同様に構成された英仏両国の調査委員会の報告書で、疑う余地のない形で立証されている。これらの報告書は英仏両国語で発表されており、誰でも入手できる。

なぜ中立の調査委員会、すなわち中立国及びドイツをも加えた調査委員会を組織しなかったのか、と問われるかもしれない。それに対する答えは次の通りである。

一、ベルギー政府は先にベルギー、ドイツ及び中立国からなる調査委員会を組織する用意があった。しかしドイツはこれを拒絶した。
二、ベルギーの牧師がドイツの牧師に、ベルギー社会党員がドイツ社会党員に、そしてかのフリーメーソンのベルギー会員がドイツのフリーメーソン会員に、それぞれ共同で調査することを提案し交渉したが、いずれも拒絶された。
三、オランダの社会党員はドイツの社会党員と共同で調査を行いたいと提案したが、これもまた拒絶された。
四、この種の調査の提案はオランダの提案二件を含めて全部で八件に及ぶが、何れもドイツの拒絶するところとなった。
五、ベルギー政府は同国がその領土を再び領有するに至れば、直ちに国際調査委員会を組織すると公表している。

このような国際調査委員会の設置は、四百人のスペイン人が署名した、ベルギー国民に同情を寄せた宣言文中でも要求されている。このスペイン人の宣言は独帝を激怒させた。『朝日新聞』の外電によれば、独帝は「ベルギーに土地を所有するスペイン貴族に、宣言書の署名を撤回しなければ、独軍中の最も乱暴な兵士をベルギーにある彼らの邸宅に宿泊させ、一切の家具を焼き払うよう命令することになると通告した」とのことである。

これらの事実は、公正を望む読者にとって決して意味のないことではない。

ドイツの弁解

ベルギーで独軍が犯したおぞましい行為について、英仏白三国の報告書に記録されたもののみ集めても、優にこの書の三倍にもなる書物ができあがる。これらの暴虐のごく一部であっても、それに目を通すのは読者にとっては苦しいことである。しかしその前に、独軍が自分たちの蛮行をどううまく弁解しているかを記してみよう。

これらの弁解はドイツの諸新聞及び三百頁のドイツ政府公刊書に載っている。それに対し、五百頁のベルギー政府公刊書は一々完膚なきまでに弁駁を加えている。このベルギー政府公刊書は二、三カ月前に発行されたもので、各種の行政文書、あらゆる種類の証拠、統計、その他それまで未発表の文書及びベルギーの外務大臣、司法大臣の宣言等を集録している。

ドイツはベルギー人向けにその公刊書の別版を発行しているが、それには原版にある二百の宣誓供述が全て省かれてあった。もちろん意図があってのことである。また同じくドイツは、昨年三月の英国外相エドワード・グレイ卿の演説に対するドイツ語版の弁駁書とベルギー人向けの別版を発行しているが、その中には原版に特筆大書していた、ベルギー人のドイツ負傷兵に対する残虐行為とその非難を全て省いている。

ベルギー民兵団に対する非難

ベルギーに対するドイツの言い分の一つは、ベルギー政府が軍籍のない民間人に武器を持たせて独軍に当らせたというものである。しかしこれは全く事実ではない。また独軍は自由狙撃隊（フラン・ティルール）から抵抗を受けたと言っているが、しかしそのようなゲリラの組織が存在する証拠は出てこなかった。おそらく、独軍は有名なベルギーの一制度である民兵団という部隊、これは一八三〇年から存在しているものであるが、この部隊を権限のない戦闘員と誤認したのかもしれない。

しかし、ドイツはベルギー政府が投入したこの予備兵力のことは知らなかったという言い訳はできない。独軍のベルギー侵入後四日間、ベルギー政府はドイツ政府に対し、この民兵団の招集をはっきりと通告していたからである。

問題の法的解釈

ベルギー政府は、この民兵団を招集するのに何ら遠慮する必要はない。既に引用したドイツの有名な国際法の書籍（『国際法ハンドブック』）には、次のように明確に記載されている。

「一国の民衆に対して、その祖国の防衛に任ずる権利を否定する根拠は存在しない。弱小国が自らを守ることができるのは、そのような手段によってのみである」

またこの書籍の中には、婦人を招集することさえも国家の権限内にあると論じている。

さらにハーグ条約第三条には次のように規定されている。

「交戦国の軍隊は戦闘員と非戦闘員で構成することができ、どちらも捕虜の待遇を受ける権利がある」

ベルギー政府、各自治体に再度の通達

もしベルギー政府が戦時法規に反する非戦闘員の使用を望んでいたならば、同国政府の行動は実際の行動とは大きく異なっていただろう。ベルギー政府が各自治体に発した八月一日付の通達については既に引用した（五十五頁参照）。八月四日すなわち独軍が国境を越えてベルギーに侵入した当日、ベルギー政府はさらに第二回の通達を全国二千七百の自治体に発したが、この中央政府と自治体との連絡は極めて迅速であった。第二回の通達で、政府は国民に次のように注意している。

「戦時法規によれば、敵軍に対する抵抗や反撃、単独行動する兵士に対する武器使用、戦闘への直接介入は、⑴正規軍、⑵民兵団、⑶責任ある将校に統率され明確な徽章を身につけた軍規を遵守する義勇兵以外には絶対に許されない。未だ敵軍が占領していない地域の住民が敵兵の接近を受けて自発的に武器を取ったものの、軍隊組織を作る時間がなかった場合、公然と武器を携帯し、戦時法規を遵守して行動すれば、敵軍はこれを戦闘員と見なすであろう。しかし単独で行動する個人は戦闘員と見なされず、敵に捕えられれば処刑されるかもしれない。戦時法規に禁止されている行為は、毒または毒を施した兵器の使用、欺瞞行為による軍人または民間人の殺傷、兵器を捨てた敵兵の殺傷等である」

内務省が取った措置

同じく八月四日からベルギーの新聞はその第一面に大活字で、内務大臣よる異例の通知を毎日掲載した。

「敵兵が現れたならば民間人はこれに対して戦ってはならない。敵を侮辱し威嚇するような言葉を使ってはならない。何らかの挑発があったと敵が主張できないよう、屋内に止まり窓を閉じなければならない。防戦上の必要により我が軍が家屋を占拠する場合は、民間人が発砲したと敵が主張できないよう、民間人は皆立ち退かなければならない」

この通知は最後に、「一人の民間人が行う犯罪的暴挙」がもたらす結果の重大さを力説して締め括られている。

銃器に関する政府の注意

以上の措置に加えて、地方当局は補足通知を出し、市民は小銃または拳銃等の武器を所有していても決して敵に対してこれを使用してはならない、と注意している。またこれらの武器は直ちに役場に提出し、戦争終結まで保管を托すことを命じている。そのため、武器を提出する際には所有者の姓名を付記させている。私はリエージュ（八月五日）、ナミュール（八月七日）及びフルリュース（八月十四日）で出された告示を所有している。

率直に認めること

私は率直に認めることを全く躊躇しない。ベルギー農民の剛毅な気性を知っているから、その中の教養に乏しい者は、独軍が自国内に侵入して、何ら正当な理由もなく信じがたい暴力を受け、自分の家屋や畑が荒らされ、周りも全く荒廃してしまって、怒りのあまり敵軍を襲撃したことがあるかもしれない。日本が敵の侵入を受けたならば、日本人も必ず同じことをするに違いない。しかし私は今日

AVIS

Tous détenteurs d'armes à feu (fusils, carabines, révolvers), particuliers et négociants, sont tenus obligatoirement d'en faire remise à l'Hôtel de Ville, au plus tard Lundi 17 courant, de 10 heures à midi.

Les armes déposées devront porter l'adresse du propriétaire. Il sera délivré récépissé du dépôt.

Le Ministre de l'Intérieur recommande aux civils, si l'ennemi se montre dans leur region:

De ne pas combattre;

De ne proférer ni injures, ni menaces;

De se tenir à l'intérieur et de fermer les fenêtres afin qu'on ne puisse dire qu'il y a eu provocation;

Si les soldats occupent, pour se défendre, une maison ou un hameau isolé, de l'evacuer, afin qu'on ne puisse dire que les civils ont tiré;

L'acte de violence commis par un seul civil serait un véritable crime que la loi punit d'arrestation et condamne, car il pourrait servir de prétexte à une répression sanglante, au pillage et au massacre de la population innocente, des femmes et des enfants.

Fleurus, le 14 Août 1914.

Le Bourgmestre,
Dr EVERAERTS.

Fleurus, Imp. Lucien Hacquart-Watteu

銃器所持者はこれを差し出すべしとの市長の宣言

掲示
銃器(小銃、拳銃)を所持する者は個人所有、商品を問わず、十七日月曜日午前十時から正午までに市役所に差し出すべし。
差し出した銃器には所有者の住所氏名を付すべし。受領書を交付す。

内務大臣告示　敵が近くに現れた際の市民の対処
戦うことなかれ。

敵を侮辱、もしくは威嚇することなかれ。

敵をして我れより挑発を受けたりと言わしめざるよう、皆屋内に止まり窓を鎖すべし。

軍隊が自衛のために民家もしくは独立集落に立ち入った場合には、住民は直ちに立ち退き、民間人が発砲せりとの誣言なきを期すべし。

民間人の一人にしてもこれを犯す者ある時は、そのために罪せられて逮捕懲罰を受くるに至るべく、従って残酷な報復、掠奪、婦女子等無辜の住民の虐殺を行うべき口実を与うるに至るべし。

一九一四年八月十四日
フルリュースにて　市長　Dr・エヴェラッツ

まで数多くの資料を集めて読んだが、未だベルギー人が独軍に対して、このような襲撃を行ったという説得力のある報告には出合っていないことを付記しなければならない。

医師の証言

自由狙撃隊に関する客観的で貴重な文献は、ベルギーの著名な医師によって書かれたものである。この医師は今日までハリファックス卿と共に英国に滞在していた。一九一四年八月から九月までこの医師は独白両軍の負傷兵を診療しており、これら負傷兵や一般のベルギー人と会話していたので、当時の事情を知るのに最適な立場にあった。この医師はベルギーの中央政府、州知事その他自治体当局者及び牧師らが発した、資格のない者は戦闘に加わるなという命令に、国民はよくこれを遵奉していたと断言している。医師は次のように述べている。

「自由狙撃隊というものは存在しなかった。もちろんごく稀に、熱烈な愛国者が独兵に拳銃を発砲したということは有り得る。私は一人のベルギー青年が、妹に乱暴しようとする独兵を殺したという話を聞いている。そのような事例が起きた可能性は認めるが、私が一九一四年十一月まで毎日熟読していたドイツの新聞で、この種の事件に関する確乎たる証拠を一つも見たことはない」

独軍の神経過敏

しかし、独兵の書簡やその他の証拠から明白なことがある。それは独軍はベルギー人のような勇敢で愛国的な国民が、比類なき侵略に対して当然抵抗するだろうと予想していたことである。また独軍は、ベルギーに侵入すれば農民が激しく怒るだろうことも予感していたのである。独軍の将校が神経過敏になっており、国境を越える前から部下にそのことを警告し、それで兵も神経過敏になっていたと信じるに足る理由がある。独軍の部隊は常にベルギー国民の襲撃を予期し、正当と認められる場合には直ちにベルギー人に対して報復せよ、との命令を受けていた。

典型的な二つの例

このことに関しては、ワックスワイラーの著書に次のような典型的な例が載せてある。この著書は東京の複数の図書館にもある。

「ドイツの列車がジュルビズに接近した際、線路上に設置された霧中信号の雷管が爆発した。車中の独兵はこれを自由狙撃隊の襲撃と断定、付近で作業していた農民を捕えて直ちに射殺した。しかし後に爆発の原因が判明、独軍は遺憾の意を表明し、再び列車を進めた」

またドイツ第十二軍団第百七十八連隊付の某将校の日記には、次のように記されいる。

「八月二十六日、ゲ・ドスーという村が焼き払われたが、自分にはそうすべき理由があるようには全く思えなかった。聞くところによれば独兵が自転車から落ち、その時兵の銃が暴発した。それが原因で、村内の男子は皆火中に投ぜられたのである。このような恐ろしいことが再び起らないことを願う」

これ以上同様の事実を記載しなくとも、独軍のベルギー侵入時、予期したような自由狙撃隊に遭遇しなくても、存在するに違いないと思い込んで行動していたことが分かるだろう。

斥候隊の戦闘法とその精神的効果

独軍は時々不意に射撃を受けることがあったが、これは非戦闘員である住民によるものではなく、ベルギー軍の自転車斥候隊もしくは他の小部隊によるものであった。ベルギー軍は規模が小さいため、これを補うために小数の兵をもって部隊を編制し、この小部隊の攻撃によって侵入軍を擾乱する計画を立てたからである。独軍はこの策略に気づくまでにしばらく時間がかかった。少数のベルギー兵は特有の気魄と行動力で、突然思いがけない場所に現れては敵を射撃し、ベルギーの農村地帯特有の間道を通って気づかれずに退避したのである。

その後仏軍もまた優れた技量と勇気をもって、同様の戦闘法をとった。この戦闘法は、未知の外国に侵入して不安を抱く敵軍を悩ますには極めて有効なものであった。実に独兵の多数はベルギー侵入後間もなく、神経過敏になったようである。先に引用したベルギーの医師の話を再び引用しよう。「世の中で何が危険かと言って、着剣した小銃を持って怯えた男ほど危険なものはあるまい。ある大男の独兵はベルギーに出発する時、友人らからテーブルナイフも持っていけと勧められた、と笑いながら私に打ち明けた。『自分はベルギーで戦うことが血の気が失せるほど恐ろしかったんですよ。ドイツの新聞はベルギー人の恐ろしさを伝える記事で溢れていたのですから』と自白しているのである」

酩酊と虐殺

ベルギー侵入の独軍が、占領した村々でワインやその他の酒類を盛んに飲んでいたことは、中立国の特派員その他からの報告で十分証明されている。これらの証拠以外に、独兵の死体から見つかった身内宛ての書簡からもそのことを知ることができる。それで独軍がその忌まわしい暴挙の口実として主張する、ベルギー人が独兵に対して発砲したという弾丸は、フランスまたはベルギーの斥候兵の発砲でなければ、酩酊した独兵が誤って撃ったものか、または騒いで発射したものであることは疑問の余地がない。

東京駐在のベルギー公使が自己の見聞に基づいて語るところによれば、ベルギーの地方当局は、独軍が復讐すると脅すたび、報復で村を焼き払う前に、ベルギー人に射殺されたという独兵の身体からその弾丸を抜き取って調べるよう求めたのであるが、「独軍将校はこのような公正な処置を頑なに拒否した」のである。

注目すべき独軍の自白

しかし、独軍指揮官がこれとは異なる行動をとった事例もある。一九一四年八月二十四日、リエージュ近郊のユイとい所から発せられた「昨夜一斉射撃を受く」という報告の中で、フォン・バッセヴィッツ少佐は次のように記述している。

「一般住民がこの射撃に関わったという証拠はない。全ての状況より判断すれば、我が軍の兵士が酩酊し、敵軍の襲撃を恐れるあまり発砲したものである」

「ほとんど例外なく、当夜の兵士らの行動は恥ずべきものであった」

「将校下士官らは何ら指揮官の許可もなく、また命令もなしに民家を焼き、また兵を教唆して掠奪させたことは極めて遺憾である」

「本官は一般住民の生命財産に対して取るべき態度につき、訓令が与えられることを期待する。本官は将校の命令なしに町中で発砲することを禁じた」

「我が部隊のこの嘆かわしい行動の結果として、下士官一人、兵卒一人は我が独兵の弾丸で重傷を負うに至った」

ディナンでの恐ろしい光景

ディナンでは、独軍は明らかに仏軍狙撃兵の攻撃を民間人の攻撃と誤認した。その数カ月後、三名

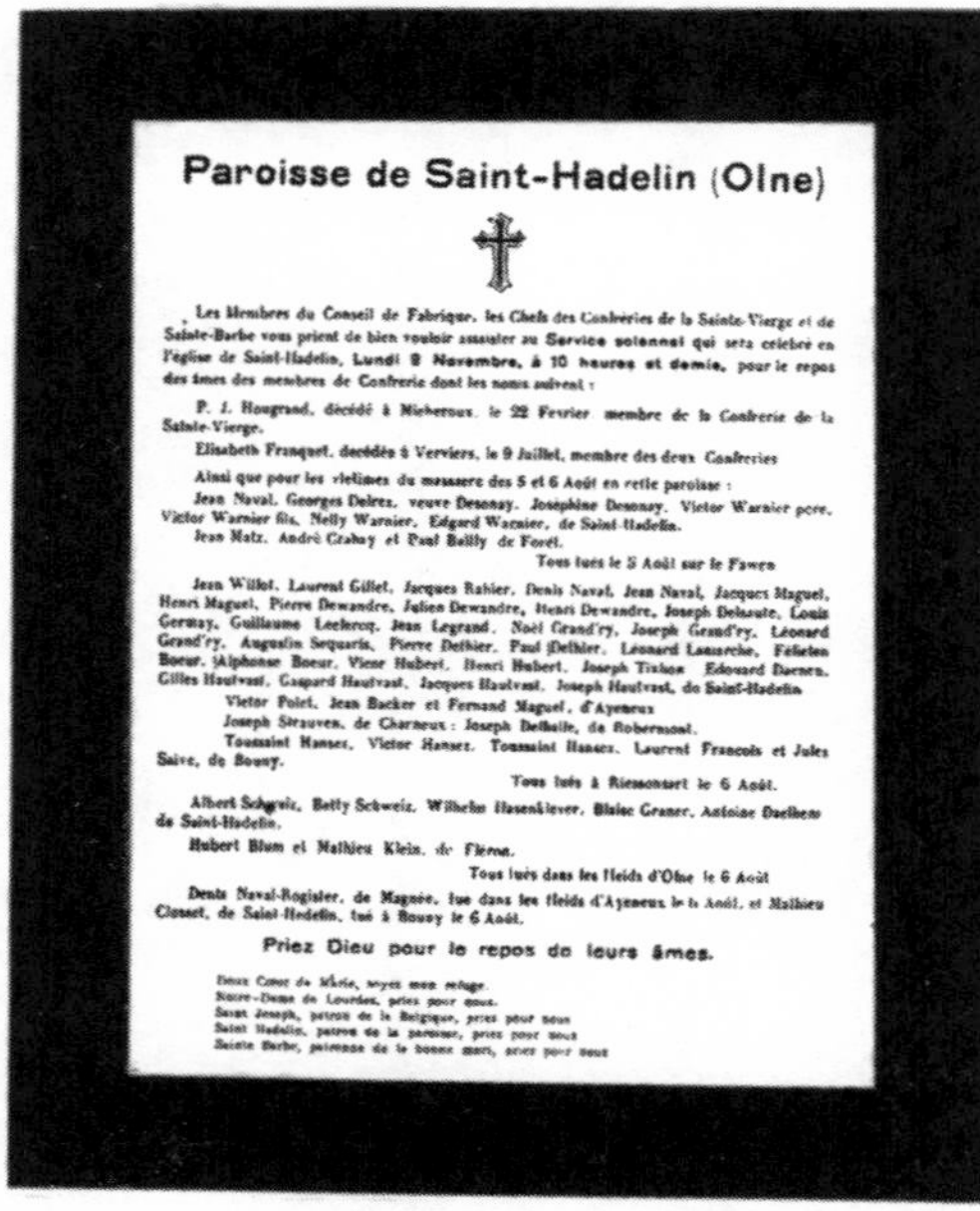

Paroisse de Saint-Hadelin (Olne)

Les Membres du Conseil de Fabrique, les Chefs des Confréries de la Sainte-Vierge et de Sainte-Barbe vous prient de bien vouloir assister au Service solennel qui sera célébré en l'église de Saint-Hadelin, Lundi 9 Novembre, à 10 heures et demie, pour le repos des âmes des membres de Confrérie dont les noms suivent :

P. J. Hougrand, décédé à Micheroux, le 22 Février membre de la Confrérie de la Sainte-Vierge.

Elisabeth Franquet, décédée à Verviers, le 9 Juillet, membre des deux Confréries

Ainsi que pour les victimes du massacre des 5 et 6 Août en cette paroisse :

Jean Naval, Georges Delrez, veuve Desonay, Joséphine Desonay, Victor Warnier père, Victor Warnier fils, Nelly Warnier, Edgard Warnier, de Saint-Hadelin.

Jean Malz, André Crahay et Paul Bailly de Forêt.

Tous tués le 5 Août sur le Fawen

Jean Willot, Laurent Gillet, Jacques Rahier, Denis Naval, Jean Naval, Jacques Maguel, Henri Maguel, Pierre Dewandre, Julien Dewandre, Henri Dewandre, Joseph Delsaute, Louis Germay, Guillaume Leclercq, Jean Legrand, Noël Grand'ry, Joseph Grand'ry, Léonard Grand'ry, Augustin Sequaris, Pierre Delhier, Paul Delhier, Léonard Lamarche, Félicien Boeur, Alphonse Boeur, Victor Hubert, Henri Hubert, Joseph Tixhon, Edouard Darcen, Gilles Haulvast, Gaspard Haulvast, Jacques Haulvast, Joseph Haulvast, de Saint-Hadelin.

Victor Poirt, Jean Backer et Fernand Maguel, d'Ayeneux

Joseph Strauven, de Charneux : Joseph Delhalle, de Robermont.

Toussaint Hansez, Victor Hansez, Toussaint Hansez, Laurent François et Jules Saive, de Bouny.

Tous tués à Riessonsart le 6 Août.

Albert Schweiz, Betty Schweiz, Wilhelm Hasenklever, Blaise Graner, Antoine Daelhens de Saint-Hadelin.

Hubert Blum et Mathieu Klein, de Fléron.

Tous tués dans les Heids d'Olne le 6 Août

Denis Naval-Rogister, de Magnée, tué dans les Heids d'Ayeneux le 6 Août, et Mathieu Closset, de Saint-Hadelin, tué à Bouny le 6 Août.

Priez Dieu pour le repos de leurs âmes.

Doux Cœur de Marie, soyez mon refuge.
Notre-Dame de Lourdes, priez pour nous.
Saint Joseph, patron de la Belgique, priez pour nous
Saint Hadelin, patron de la paroisse, priez pour nous
Sainte Barbe, patronne de la bonne mort, priez pour nous

リエージュ近郊で虐殺された六十一名（うち婦人四名）のために挙行されたミサの招待状

の独兵は、ワイシャツ姿で窓から発砲する男たちを目撃したと証言しているのは事実である。八月の半ばに、屋内から射撃する兵士が上着を脱ぐことはあり得ないと独兵は思ったらしい。それはともかく、この三名の兵の証言と仏軍が遺棄した機関銃及び鉄条網等を証拠として、独軍は彼らが犯した最も恐ろしい残虐行為の一つ、ディナンの住民の十分の一を容赦なく処刑したことを全て正当化したのである。ベルギー公使は「犠牲者の中には婦人が六十人以上もいて、その中には七十五を過ぎた老婦人も何人かいた。また十六歳未満の少年少女が三十六人、五歳未満の幼児が十人いた。十七戸の家族は一家全滅した」と述べた。

中立国人の証言

ルーヴェン、アンダンヌ、アールスホットその他の各地で行われた残虐行為については、そのおぞましい状況を後で詳しく述べるが、ドイツ人は、関与した軍人の根拠薄弱な自己弁護の証言に基づいて正当化している。ベルギー公使が指摘したように、独兵の証言は「ベルギー及び英国の調査委員会で示された、多数の中立国人を含む数百もの人々の、極めて正確な証言と全く矛盾している」。中立国人に関してであるが、スペインとの関係維持を切望するドイツ政府は、リエージュで理由もなく住民と共に射殺された五人のスペイン人に対して、十分な補償金を支払っている。

「何者かが発砲したぞ」

ドイツの負傷兵と語る機会が多かった前述のベルギーの医師は、「独軍の侵攻中ベルギーに滞在していた人々は、日夜、特に夜間独兵が頻りに発砲していたことをよく知っている」と書いている。「独軍では酩酊は大した罪ではないが、木の葉が風に動けば戦慄し、また道の曲り角に来れば自由狙撃隊の幻影を見る、という有様であった」

「十分支給を受けていながら掠奪に貪欲な独兵は、夜間の発砲は掠奪の合図であり、後日掠奪の言い訳となることを知っていた。しかし独兵は自由狙撃隊の襲撃を待ちきれず、都合のよい頃に自ら発砲した。この合図の発砲を聞くや否や、兵士らは『何者かが発砲したぞ』と叫びながら市中に駆け出し、激しい一斉射撃を始める、また市中に放火をする、次いでその混乱の中で住民を虐殺しその家々を掠奪する、といった有様であった」

「ドイツ側の報告書、特に口述の報告書では、ベルギーにおける独軍の損害は、全て自由狙撃隊の攻撃によるものだという見解が支配的である。独兵の死体がたまたま通りかかった独軍の目に触れた時は、その付近に天誅が下された。敵国内で独兵が殺されていれば、敵兵に殺されたとするのが自然かつ論理的な推測である。しかし、独兵は暗殺されたという仮説を好んで受け入れたようだ。あるサクソン人の兵は私に、『一人の独軍将校がホテルに入っていくのを認めた者があったが、その将校はその後行方不明になり、何の手掛りもなかったという。これはベルギー人に殺されたに違いない、住民を厳罰に処すべし、ということになって、アルロンの牧師及び百人もの住民が独兵に射殺された』と語った」

今なお証拠なし

ナミュールの司教は、その教区の位置からこの問題に関して特に詳しいが、同司教は「自由狙撃隊が一隊でもベルギーに存在する証拠を出してみよ、と独軍に激しく抗弁している」。この司教は「民間人が軍に発砲した例はただの一件も知られていない」と断言もしている。またルクセンブルクのある著名な住民は、「独軍は自由狙撃隊を口実に、数千人もの男女子供を虐殺したが、今日まで独軍に発砲したベルギーの民間人の名前を、一人も挙げることができなかった」と指摘している。

自転車のタイヤが破裂

ベルギー調査委員会の第十二次報告書にあるように、いわゆる報復を組織した独軍は、必ずしも悪意をもって行動していたわけではない。

「独兵は、ベルギー人民が蜂起して自分たちを殺すつもりであるという話を何度も繰り返し、遂にはそれを信じてしまった。独軍は戦線から遠く離れていても、少しの物音に驚いて騒ぎ、自転車のタイヤの破裂、鉄道の霧中信号（ジュルビズでの事例）、発動機の爆発（アールストでの事例）、また独軍の発砲で起きた薬品の燃焼（ルーヴェンでの事例）等は皆独軍を怯えさせる原因となり、『誰かが発砲したぞ』と絶叫しつつ掠奪放火の蛮行を行うに至ったのである。シカートではアーチェリークラブの道具が、その矢に毒を塗って独兵の狙撃に使うかもしれないとの口実で独軍に没収された。独兵はこのように至るところに伏兵がいるのではないかと疑う心境にあり、ルーヴェン、アールスホット、ヴィゼ、アンダンヌなどで起きたように、独兵同士の撃ち合いや自軍の将校にさえ発砲したことは驚くほどのことではないのである」

戦慄すべき事件

　独兵がその手足を切断されて惨殺されたなどと、実にバカげた非難がなされたが、それに関連してハレンという村で起きた興味深い事件を取り上げておこう。この村で手の指を切断された一人の独兵の死体が発見された。その後グロンディス教授というオランダ人が、その著『ベルギーのドイツ軍』の中で、シュタインという独軍将校が部下の一兵士の背嚢の中に指環の付いた手の指数本を発見し、この兵士を銃殺するに至った、と書いている。この兵士の自白によれば、この手の指は独兵の死体から切断したものであるという。しかし、指を切り落とされた独兵の死体が発見された付近の村は焼き払われ、一部の住民が射殺されたのである。

ドイツ側の非難を反証

　ドイツの新聞は、独兵の眼球がしばしばベルギーの自由狙撃隊によってえぐり取られたという、卑劣極まる非難を数回掲載したことがあった。戦争が開始されてから八カ月後、ドイツ人のラウテンベルク教授は事の真相を調査したが、その結果、ドイツの新聞の該当記事に何らの事実も見出すことができなかった、と報告している。

司祭虐殺、ドイツ側の検証

ベルギーでの暴挙に関して、ドイツが行った最も恥ずべき行為の一つは、一九一五年五月に公開されたドイツの白書において、ベルギー人司祭が独軍への攻撃を扇動したと再三非難していることである。しかしその五カ月前に、ドイツ政府自身がこれらの非難が事実無根であることを公然と認めていたのである。それより以前にもドイツの評論雑誌『ペルス』に、ミュラーなる著者は、司祭が教会から発砲したとか、あるいは他人にこれを許可したという「事実は未だ確証が得られていない」と正直に告白して、ドイツの新聞の記事は「全くの虚偽であり妄想」であると述べている。

しかし独軍は、過去の戦争では前例のない規模で教会を破壊し、信じられないほど多数の司祭を射殺したのである。例えばベルギーで独兵に殺された司祭の魂のため、礼拝がローマで挙行されたことがある。そのプログラムの写しが手許にあるが、四十余人の司祭の名前が挙げられている。メルシエ枢機卿の報告によると、その教区だけでも各派の司祭十三人が射殺されたという。実際に、独兵による司祭の扱いはこのようにはなはだ残酷だったため、ウィーンの大司教（オーストリア人）が調査を開始した。大司教はその報告で次のように述べている。

「独軍は約五十人の司祭を殺害したが、どの司祭も国際法に反する行為をしたことは認められていない」

「独軍は各派の司祭数百人を、実に侮辱的に扱った。肉体的にも精神的にも、全く人間のすることとは思えないような扱いをする者もいた」

Le Collège des Provoiseurs de Saint-Julien-des-Belges a l'honneur de vous inviter au service religieux qu'il fera célébrer le Vendredi 22 Janvier, à 11 heures, pour le repos de l'âme des Prêtres et Religieux, mis à mort par les troupes allemandes au cours de l'invasion de la Belgique

Vous en trouverez ci-contre une première liste.

A cause de l'exiguïté de l'Église Nationale, le service religieux aura lieu dans l'ÉGLISE DES STIGMATES, à l'angle de la Via dei Cestari et du Corso Vittorio Emanuele

LE PRÉSIDENT
BARON D'ERP, Ministre de Belgique près le Saint-Siège

LE SECRÉTAIRE
C. DE T'SERCLAES, Président du Collège Belge

M. VAES, Recteur de Saint-Julien-des-Belges
OSCAR BOLLE.
G KURTH, Directeur de l'Institut historique Belge
A. POTTIER, Chanoine de Sainte-Marie-Majeure

DIOCÈSE DE LIÈGE.

L'abbé O. CHABOT, curé de Forêt
L'abbé I. DOSSOGNE, curé de Hockay
L'abbé F. JANSSEN, curé de Heure-le-Romain
L'abbé R. LABEYE, curé de Blegny
L'abbé B. RENSONNET, vicaire d'Olne.
L'abbé E. TIELEN, curé de Haccourt.

DIOCÈSE DE MALINES.

L'abbé R. CARETTE, professeur au Collège Saint-Pierre à Louvain
L'abbé H. DE CLERK, curé de Buken, près de Louvain
L'abbé P. DERGENT, curé de Gelrode.
L'abbé J. GORIS, curé de Autgaerden
L'abbé E. LOMBAERTS, curé de Boven-loo, près de Louvain
L'abbé VAN BLADEL, curé de Herent, près de Louvain
Le R. P. DUPIERREUX, jésuite de Louvain
Le R. P. VINCENT SOMERHOEK, conventuel, de Louvain
Le R. P. VAN HOLMEN, capucin, de Louvain
Le R. Chanoine-Prémontré J. WOUTERS, curé de Pont-Brulé
Le Frère ALLARD (dans le monde F. Forges), religieux joséphite de Louvain.
Le Frère SÉBASTIEN (dans le monde: Mr. Streatmen), religieux joséphite de Louvain
Le Frère CANDIDE (dans le monde: Mr. Pivet), des Frères de la Miséricorde de Bauwput, près de Louvain

DIOCÈSE DE TOURNAI.

L'abbé E. DRUET, curé d'Acoz
L'abbé J. POLLART, curé de Roselies.

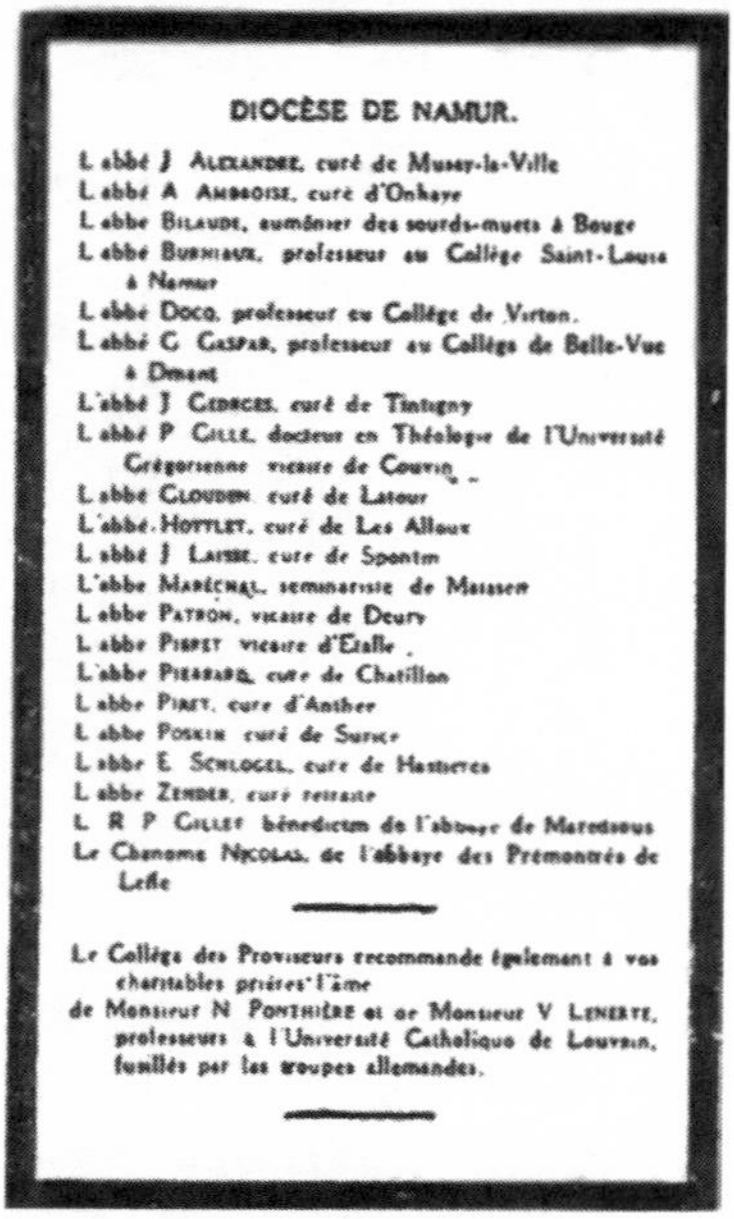

DIOCÈSE DE NAMUR.

L'abbé J. ALEXANDRE, curé de Musey-la-Ville
L'abbé A. AMBROISE, curé d'Onhaye
L'abbé BILAUDE, aumônier des sourds-muets à Bouge
L'abbé BURNIAUX, professeur au Collège Saint-Louis à Namur
L'abbé DOCQ, professeur au Collège de Virton.
L'abbé G. GASPAR, professeur au Collège de Belle-Vue à Dinant
L'abbé J. GEORGES, curé de Tintigny
L'abbé P. GILLE, docteur en Théologie de l'Université Grégorienne, vicaire de Couvin
L'abbé GLOUDEN, curé de Latour
L'abbé HOTTLET, curé de Les Alloux
L'abbé J. LAISSE, curé de Spontin
L'abbé MARÉCHAL, séminariste de Maissin
L'abbé PATRON, vicaire de Deurs
L'abbé PIERET, vicaire d'Étalle
L'abbé PIERRARD, curé de Chatillon
L'abbé PIRET, curé d'Anthée
L'abbé POSKIN, curé de Surice
L'abbé E. SCHLOGEL, curé de Hastières
L'abbé ZENDER, curé retraité
Le R. P. GILLET, bénédictin de l'abbaye de Maredsous
Le Chanoine NICOLAS, de l'abbaye des Prémontrés de Leffe

Le Collège des Proviseurs recommande également à vos charitables prières l'âme de Monsieur N. PONTHIÈRE et de Monsieur V. LENERTZ, professeurs à l'Université Catholique de Louvain, fusillés par les troupes allemandes.

ベルギーで殺害された四十八名の司祭の魂に祈りを捧げるために、ローマで行われたミサの招待状

ドイツの目的

すでに引用したベルギーの医師は、独軍が非難する自由狙撃隊や司祭の悪行その他について調査した結果を報告し、これら独軍の非難は事実に基づいていない、という結論で締めくくっている。しかし同時にこの医師は、このような事実無根の風説を流布した独軍の目的は何だったのか、と問うている。医師は、ベルギーにおける独軍の苛酷な軍政を正当化するためだったと判断している。

「ベルギー人を恐怖に陥れ、ベルギー軍の士気を挫き、反乱を予め抑え、最小限の兵力をもって占領を維持するために、そのような手段を必要とした」

ベルギー人医師のいう恐ろしい主張に根拠があるのか、それはこの後の章を公正な読者が読めば判断できるだろう。

しかしすでにこれまで、ドイツが極めて不当な扱いをした人々に対して行われた、根拠なき非難の全てに目を通した公正な読者は、ベルギー司法大臣及び外務大臣の、「他人の権利を侵害しながら、この被害者が犯していない罪を非難して自己正当化する独軍は、実に二重の罪を犯している」という声明に心から共感するに違いない。

妻子の目前で行われたベルギー人の処刑
ベルギー調査委員会報告書。

第九章　六都市の惨事

一　「科学的かつ計画的な」ルーヴェンの破壊

焼け落ちた大学

マリーヌやイープルでは、中世建築の最も名高い建物が容赦なく砲撃され、また焼き払われた。そのことは誰もが知っているであろう。しかし最も嘆かわしい破壊はルーヴェンで行われた。ルーヴェン大学が焼かれ、五世紀にわたる知的、歴史的及び美術的財産の蓄積が灰燼に帰した。その図書館には実に二十五万冊もの蔵書があったのである。市の損害に関してはメルシエ枢機卿によれば、「千七十四戸の住居が崩壊し、千八百二十三戸は焼け落ちた」。これらは無生物に対する破壊であったが、なおこの他に虐殺が行われたのである。

「軍上層部」と「計画された政策」

まず、英国調査委員会の報告書を読んでみよう。

「ルーヴェンに関する供述調書は多数あり、同市の住民が独軍に発砲したとする根拠は見つからなかった。公正な法廷では、それ以上の結論を導き出すことができなかった」

「ルーヴェンの大部分を焼土にしたこと、虐殺を行ったこと、民間人捕虜をドイツに後送したことは、殺された者や捕えられた者が不法行為を行ったかどうかを調査せずに行われたが、それらは全て綿密かつ周到に計画された政策によるものであり、その実行については軍上層部が認可を与えたというより、軍上層部が指揮したものである。決して市民が独軍を挑発したり抵抗を企てたからではなかった」

中立国人が体験した恐ろしい例

先に述べた大学の図書館員は次のように書いている。

「夜になると乱酔した独兵は殺戮の狂態を演じ、何ら容赦しなかった。老人、婦人、子供、病人、精神病院の患者、司祭、修道女は、残忍な独兵に家畜のように追い立てられ、独兵や士官に会うたびにひざまずいて両手を挙げ、憐れみを乞わざるを得なかったのである」

次に中立国人の証人、パラグアイ人のガマラという司祭の証言を取り上げよう。当時学生としてルーヴェンにいた彼は、目撃したことを主観を交えず南米に報告している。その一部を抜粋する。

「フォン・クルックの軍の前衛部隊は、何ら攻撃を加えることなくルーヴェンを占領した。戦闘はなかった。市の破壊は放火によって行われた。四方八方へ燃え拡がっている間に、独兵は火の中から逃げ出してくる市民を次々銃撃した。駅の廊下には、射殺された市民の死体が十五から二十倒れていた」

「最初に捕虜となったのは七、八十人の一団であったが、その中には著名な人物、弁護士、医師などもいた。その中の五人は私を含む外国人であったが、独兵の我々に対する扱いは残酷を極めた。私は国籍を証明するパスポートを所持していたが、国籍を証明しようとするたびに、士官らは私を威嚇して殴った。そこで私は、もはや何を言っても無駄だと諦めて死を覚悟した。他の仲間も同じ決心をした。我々はサーベルや銃床、槍の柄で打たれながら、走らされ、歩かされ、制止させられた。蹴られたり唾を吐きかけられもした」

このガマラと他の四名の外国人はその後解放された。

ベルギーの官報にはルーヴェン市を含む行政区で殺害された二百十名の姓名、年齢、職業が記録されているが、それによればそのうち八名は十五歳未満、十一名は七十歳から八十歳の老人であった。

独軍の口実とその真相

前章で引用したベルギーの医師は、このルーヴェンの暴虐を目撃した。独軍の口実は、独兵の中に殺されたり負傷した者がいる、拳銃と小銃の音は聞き分けられ、それで民間人が発砲したと結論付けたというものだった、とその医師は言う。さらに、医師は次のように続けた。

「独軍側の証拠は事実かもしれない。私はそれを全部承認することとする。しかしその結論には同意できない。以下の理由からである。

一、ティルルモン通りの歩兵兵舎を占拠した独兵が私に語ったところによれば、しばらくの間仲間の銃撃にさらされ、大声で叫び続けてやっと友軍であることを分からせることができたという。

二、二人の独兵は大学の教授宅に侵入し、通りに市民がいない時に窓から外へ向けて発砲した。

三、独軍将校は皆拳銃を所持しており、独兵の小銃と異なる銃声があったというだけでは市民が発砲した証拠にはならない」

ベルギーの医師は結論としてこう述べている。

「多数の民間人が尋問を受けたが、そのうちの一人たりとも責任を問われた者はなかった」

ルーヴェンにいたスイス人の技師も、同市に加えられた暴虐は全く正当化できないものだったと証言している。またオランダ人P・B・メッツは次のように書いている。

「私は自分が見たままを書いているが、ルーヴェンの独兵はまるで野蛮人だった」

オランダ人の証言は他にもある。ロッテルダムで発行された『ベルギーの驚愕』の著者モクフェルトも当時ルーヴェンにいた一人で、「誰かが発砲した」というドイツ側の口実を冷笑している。

二　タミンヌでの六百五十人の犠牲者

機関銃による虐殺

さらにタミンヌの場合であるが、ベルギー調査委員会は、住民が独軍に発砲したか確認することに特別な注意を払ったと述べている。

「目撃者は異口同音に、そういうことはなかったと主張している。彼らは、独軍は仏軍斥候隊による銃撃を同市の住民によるものと強弁し、住民を虐殺したと説明している」

ある目撃者は次のように証言している。

「四百人から四百五十人の住民の一群が、河岸に近い教会の前に集められた。独軍の一分遣隊がこれに発砲したが、小銃では手間がかかるので士官は機関銃で射殺するよう命じた。まだ撃たれずに立っていた農民がなぎ倒された。その多くは負傷しただけで、再び立ち上がるとまた撃たれた。死体とともに横たわっていた負傷者も少なからずあった。累々たる死体の中から呻(うめ)き苦しむ声、助けを求める叫びを聞いた兵士らは、これに近寄って銃剣でとどめを刺し、苦悶の叫びは静まっていった。夜に入ってから這い出して逃げおおせた者もあった。あるいはまた自分から川の中に転げ込み、苦悶を逃れ死に就いた者もあった。川の中には百ばかりの死体があった」

独兵は総計二百六十四の家屋を焼き払った。多数の婦人や子供はその家にいて焼死、あるいは窒息して死んだ。また野外で射殺された者も多かった。犠牲者の総数は六百五十人を下らなかった。

Hommage
aux
Glorieux Martyrs de Tamines
tombés dans la Journée du 20 Août 1914

タミンヌで発表された死者三百三十六名(内二名は司祭、九名は婦人)及び負傷者五十九名の名簿

三　ディナンにおける八百人の殺戮

「男女を別け五十名の男を銃殺」

次に述べるのはディナンで起きた惨劇である。調査委員会の報告書には「金曜日の夜九時頃、独軍はディナンに侵入した。独軍はまず民家の窓に向かって発砲して職人一名を射殺し、他に住民一名を負傷させ、その人物に強いて『ドイツ皇帝万歳！』と叫ばせた。三人目の住民は、銃剣で腹部を刺された。さらに独兵はカフェに入り、手当り次第に酒を飲み、酔っ払って数軒の家に火をつけ、家々の戸を壊し、窓を破って回った」と書かれている。

真の悪魔の所業はこの後に起った。

「日曜日の午前六時半頃、第百八連隊の兵士らが教会を襲い、礼拝者を追い散らし、その中の男女を別けて、五十人の男を銃殺した。七時から九時の間に独兵は掠奪と放火を恣(ほしいまま)にし、家から家へと荒らし回り、住民を通りに追いやった。逃げようとした者は皆撃たれた」

取り調べも裁判らしきものもなく

九時頃、兵士らは「男も女も子供も銃床で殴りつけながらパレード広場に追い込み、夕方までそのまま拘禁していた」。

「番兵らは何度も、おまえらは間もなく銃殺だ、と脅しては喜んでいた」

「夕方の六時頃になって、独軍の大尉が来て男を女子供から引き離し、男は皆壁に沿って立たされた。

その最前列の男たちは跪（ひざまず）くよう命じられた。兵士らはこの不幸な男たちの前に整列した。その光景を目の当りにした女たちは声を上げてその夫、兄弟、あるいは子供のために助命を乞うたが、全て無駄であった。士官は遂に発砲を命じた。

「取り調べもなければ、裁判らしきものもなかった。男たちのうち二十名ほどは致命傷を負わなかったので、兵士らはさらに第二の一斉射撃を行った。この二回の射撃でも生き残った者が数名あった。彼らは二時間以上も動かず死体の中で死んだふりをし、夜になって丘へ逃れることができた」

「広場には八十四の死体が残された」

ここでも機関銃での虐殺

この他にも「さらに虐殺が行われ、その日は全く血腥（なまぐさ）いものとなった」。

「兵士らはビール醸造所の地下室に隠れている住民を発見し、これを射殺した」

「また前夜から、M・ハイマーの工場の従業員たちが、妻子と共に工場の地下室に隠れていた。近隣の人々や雇い主の家族らもそこに集まっていた。夕方六時頃、一同は白旗を先頭に地下室から出てきたが、皆その場で射殺された」

「その近郊のレフの男たちは、ほとんど全員殺戮された」

「その町の別の場所では十二人が地下室で殺された。また、一人の半身不随の病人は肘掛け椅子に座った状態で撃たれた。独兵は十四歳の少年をも殺した。一人の老婦人とその息子らは皆地下室で殺された。六十五歳の老人とその妻、息子、娘は壁の前に立たされ射殺された。他の住民は、はしけで運ばれて撃たれたが、その中には八十三歳の老婦人とその夫もいた」

「男女若干名は刑務所の中庭に幽閉され、傍の小山の上に据え付けた機関銃でこれを銃撃、老婦人一人と他に三人が射殺された」

エドモンド・ブルドンの殉難

ディナンの惨劇中最も悲惨な事件は、この地の弁護士が住民のために行動して遂に殉難したことである。この人物は、自由狙撃隊が独軍を射撃したため住民は処罰されるべきである旨を告げられた。しかし彼は発砲したのは自由狙撃隊ではなく実は仏軍によるものだと独軍に抗議し、自ら河を渡って関係仏軍将校の証明書を得てくると申し出た。この事件の結果について、東京のベルギー公使が筆者に語ったのは次の通りである。

「エドモンド・ブルドンは、その庭園内に繋留してあった古いボートに乗って河を渡った。仏軍将校は彼が求める証明書をすぐに与えた。しかし年老いた弁護士に、独軍の戦線へ戻ることははなはだ危険でもあり、また帰ったところでおそらく同郷人の利益にならないであろうから、仏軍のところにそのまま残るよう勧めた。けれども彼はこの勧告には少しも耳を傾けず、自分の運命を予期しながらも同郷人を救おうとの一念から再びボートを漕いだ」

「独兵らは河を渡ってくる弁護士に発砲し、なんとか岸に着いた時には両脚を撃たれていたので、彼の二人の息子に助けられて漸く陸に上がった。仏軍将校からもらってきた証明書を取り出して独兵に渡したが、独兵はこれを読みもせず、ずたずたに引き裂いてしまった」

これに引き続いて起った虐殺についてはすでに述べた。この勇敢な弁護士とその妻、息子、娘の四人は、壁の前で機関銃で射殺された八十名の中にいた。虐殺の数時間後、ブルドン弁護士の十五歳になる末の息子は、死体の中で血に染まって生きているのが発見された。

独軍と死者名簿

八百人以上の住民が独軍に殺害されたと考えられ、そのうちの六百十二人もの名前が記載された死者の名簿が存在する。この名簿の存在を知った独軍当局は苛立ち、この名簿を直ちに回収するために、それを提出せず隠し持っていた者は厳罰に処すとの命令を発した。ディナンの戸数は一千四百戸であったが、独軍がその破壊活動を終えた時に残っていたものは僅かに二百戸であった。

VILLE DE DINANT

Il est rappelé aux intéressés détenteurs des listes d'exhumés (Série A) que celles-ci doivent rentrer SANS AUCUN DÉLAI à l'Hôtel de Ville.

Des mesures rigoureuses pourraient être prises contre ceux qui n'obtempéreraient pas à cet ordre formel de l'AUTORITÉ ALLEMANDE.

A Dinant, le 20 Octobre 1914.

Le Bourgmestre ff., Fr. BRIBOSIA

死者の名簿を差し出すよう命じる声明

ディナン市

発掘された死体の表（A号）を所持する者は即刻これを市役所に提出すべし。
ドイツ当局のこの正式命令に従わぬ者は厳罰に処せらるべし。

一九一四年十月二十日
ディナンにて
市長　F・ブリボシア

犯罪を自認

独軍当局はその行為を弁明する際に、仮面を脱ぎ捨てるような発言をしているが、これほどおかしなことはあるまい。ドイツの一将軍が書いたものに次の一節がある。

「今独軍の取った態度を判断する上で、我が戦略上の目的は速やかにムーズ河を渡り、敵をムーズ河の左岸から掃討するにあることを我が出発点とせざるを得ない。この目的に敵対する行動に出る住民の反抗を一刻も早く抑えるには、あらゆる手段をもって遂行せざるを得ない。……人質が各所で射殺されているが、この処置は十分に正当なものである」

呪われた独兵の話

一九一四年にベルギーで種々の残虐行為を行った独兵の多くは、今頃は西部もしくは東部の前線で戦死したか、あるいは負傷後死亡したであろう。今際（いまわ）の際にベルギーで自分たちが犯した残虐行為を回想した独兵のうち、その行為に「正当な理由があった」と思ったものが果していたであろうか（ある独兵によると、兵士らは「貴様たちの行為が残虐であればあるほど、軍は早く勝利を得られるのだ」と言われたという。また死に瀕する一兵卒曰く、「我々は実に酷い振舞をしたが、それでもまだ命ぜられたことの四分の一もできなかった」）。

これについては英国の一医師が書いた著書の中に、独兵の臨終の言葉が集めてある。これによってその一端を窺うことができる。ここに記するのはディナンにおいて、ある老婦人が独兵から逃れようとしたところを一兵士に刺突された話である。この兵士の話によれば、この婦人はかなりの高齢であった。

「独兵は、この老婦人がある家に逃げ込もうとするところを刺突した。老婦人は入口の敷居の上に倒れた。兵士は老婦人が死んだかどうか確かめるために、かがんでその顔を覗き込むと、老婦人は目を開いて兵士を見つめていた。その目は、自分が出征する際に村の教会で自分を見つめた祖母の目と少しも変わらない。悲しげで、優しい目であった。老婦人は祈祷書と眼鏡入れを手にしていたが、自分の祖母も同じものを持っていた。老婦人は全く息絶えていた。しかし、なおもこの兵士を見つめ続けていたのである」

この老婦人の目は、その後この兵士を悩まし続けた。そしてこの兵士は自分の臨終の際に、「自分は地獄に行くのだろうか」と傍の者に問いを発したのである。

整然と正確に実行

その兵士は死ぬ前に、ディナンの民間人虐殺について大要を次のように述べている。

「全ては整然と正確に行われた。将校たちは破壊作業がきちんと実行され、万事滞りなく進んでいるかを監視していた。兵士らは酒に酔い過ぎて、将校の指示通り動かないこともあった。一兵卒は無防備な群衆に発砲するよう命ぜられたが、これに従わず銃を投げ出したために将校に射殺された」

四　アンダンヌで独兵、斧を振るい殺戮

独兵の乱酔

アンダンヌでの惨劇の一つは、齢七十を超える老市長が受けた悲惨極まる虐待であった。しかもこの老市長は独軍侵入の数日前より、市民が敵対行為を行わないよう「細心の注意」を払ったのである(市長は各所に独軍への抵抗を禁じる掲示をし、全ての武器を取り上げてこれを市役所に集め、市の担当者が住民の一部を訪ね、住民にその義務を説明した)。

独兵が乱酔状態にあったことについては、確かな報告がある。独軍侵入の翌日夜、「市中に一発の銃声が聞え、これに続いて大爆音が起った。兵士らは秩序を失い、手当たり次第に発砲した。また兵士らは家屋に向けて機関銃で銃撃し始めた。砲撃も始まった。家に押し入ってきた兵士らに、多くの人が殺された。これに続いて大きな通りで掠奪が始まり、家具は破壊され路上に投げ出された。兵士らは狂奔して地下室に入り、酒を見つけると浴びるように飲み、運び出せない酒瓶は叩き割った。そして最後に掠奪を行った家屋に放火した」。

市長の惨殺

翌朝四時、独兵らは「住民は男女老幼悉く路上に追い出し、両手を挙げて先頭を歩かせた」。

「もたもたしたり、ドイツ語が解らない者は打ち倒され、また逃げようとした者は射殺された」

「老市長は小銃で撃たれ、負傷した後、遂に斧で打ち殺された。その死体は片足を持って引きずられ

た」

「時計職人は独兵の命令で、八十歳の義父を腕に抱えて家から出てきたが、当然ながら両手を挙げることができなかった。独兵は歩み寄って斧を振り下ろした。時計職人は致命傷を負って、その家の戸口に倒れた」

「皆勇敢な最期を遂げた」

その頃、全住民はティユール広場に追われた。

「老人も病人も身体に障害のある者も、皆そこに連れてこられた。車椅子に乗っている者もあれば、手押し車に乗っている者もあり、身内に抱えられた者もいた。そこで男は女から引き離された。その後、全員の身体検査が行われたが、武器を所持している者はいなかった。しかし、ある男が独軍やベルギー軍の空薬莢を持っていて、すぐに脇によけられた。また手を負傷していた靴職人も同様だった。これは一カ月も前の傷である。ある技師もポケットにスパナを入れていたので脇によけられた。これが武器と見なされたのである。またこれらの光景を見て、独兵を侮辱するような顔付きをしたように見えたという理由で、脇によけられた者もいたようである。彼らは群集の面前で銃殺されたが、皆勇敢な最期を遂げた」

「その後、独兵は将校の命令により群集の中から四、五十人を選び出して銃殺にした」

「他の独兵らは引き続き暴行、掠奪、放火を恣にした。ある家では家族八人が、その家屋より約五十ヤードほど離れた牧場に連れていかれ、ある者は射殺され、残りは斧で打ち殺された。斧を振るって残虐な行為を演じたのは、顔に傷痕のある、背の高い赤毛の独兵であった。少年一人と婦人一人が射殺された」

「午前十時頃、独軍将校は婦人たちに、遺体を集め街や家屋を汚した血を洗い流すよう命じた」

「獰猛性と残虐性」

英国調査委員会の報告書によれば、アンダンヌのほぼ全ての家屋で掠奪があり、それは八日にわたって続いたという。

「独兵の獰猛性と残虐性がこれほど発揮された街は他にはない」

「我々が調べた多くの住民は、独兵への発砲はなかったと主張する点で一致している。これらの住民の供述によれば、アンダンヌやその周辺で殺された独兵は一人もなかったとのことである。それで、アンダンヌは恐怖による統治を確立するための犠牲になったと考える人もいる。また、橋梁の破壊（ベルギーの歩兵連隊が爆破）、付近のトンネルの閉塞、それにベルギー軍の抵抗等がこの虐殺の原因となったと考える人もいるが、皆が抗議しているのは、ドイツ側の行為を正当化できるようなことは、アンダンヌでは何一つ起らなかったからである」

どのように殺されたのか

「掘り起こされ、名前の判明した遺体の第一表」には百三名の名前が記されている。その中には一部若者も含まれる。十四歳の少女は、「二十人の独兵に輪姦された後」殺害されたと記録されている。

処刑した若者に対する無慈悲な残虐行為のもう一つの例は、次のように記録されている。

「ジョセフ・ウォルグラフはその首を刎(は)ねられ、その首は今燃えている我が家の中に投げ込まれた」

このような悲惨な運命に際しても、勇敢な態度を持していた光景が思い浮べられるのは次の一例である。

「フェルディナンド・フロイドビスという八十六歳の裕福な老人は、殺されるとき、国歌を歌い続けていた」

独軍司令官の性格

フォン・ビューロー将軍という人物がどのような性格なのか、それを示すものがいくつかある。アンダンヌの家々が焼かれ、「その住民百余名」が射殺されたが、それを承認する布告文を発したのがこの将軍である。またアンダンヌ虐殺の数日後、ナミュールで将軍は次の布告文を発している。

「街路はドイツ守備兵が占拠し、守備兵は各街路ごとに十名の人質を拘束すべし。その街路で何らかの騒擾が発生した場合、その人質を銃殺すべし。独軍に対する犯罪は、ナミュール全市全住民を挙げてこれを償うべきものとす」

しかしこの布告文は、独軍にとって決して珍しいものではなかった。フォン・ニーベル中将は八月二十七日にワーブルの市長に対し、即刻二百万フランの金貨を渡すよう文書で要求、「この金額が支払われなければ、市街は破壊され、焼かれることになる。無辜の住民も罪ある者と共に苦しむことになろう」と通告している（ワーブルでは五十戸が焼き払われた。独軍の口実は、市民が独軍に発砲したというものだった。しかし医師の調査により、独兵の負傷は独兵の発砲した弾丸によるものであることが判明した）。またフォン・デア・ゴルツ元帥は十月五日ブリュッセルで発した布告文で、もし電信または鉄道の交通を妨害する者があるときは、住民全員が「無辜の者も含めて容赦なく罰せられる」と宣言している。

独軍人に対する敬礼

独兵の横暴はこれだけにとどまらない。独兵は恣に住民を射殺し、事の細大を問わず死の刑罰を下した。例えば一九一四年九月八日、グリヴェニーにおいて指揮官ビークマン中佐は布告を発し、石油の存在を届け出なかった者、その家屋に灯りをつけなかった者、また二十四時間ごとの人質の交代時間に次の交代者が来なかった場合は、その場にいる全員を死刑に処す、と威嚇した。この布告の全文は筆者の手許にあるが、特にその第八条はぜひともここに引用しなければならないものだ。

「全ての市民は脱帽、または挙手によりドイツ将校に対し敬意を表すべきことを私は強く求める。将校か兵卒か判断できない場合も敬礼すべし。この規定を無視する者は、軍は如何なる手段をもってしても敬礼させることを予期しなければならない」

五　アールスホットの死体発掘

塹壕に連行され銃殺

アールスホットの虐殺に関しては、オランダ人L・H・グランディス教授が現地調査を行っている。この調査の結果、この地を占領した独軍の司令官は、市長邸宅のバルコニーで歓待を受けていたことが判明している。

市場方面は独兵で溢れていた。その後独兵の死体から回収された書簡（その写しは筆者が所持）に、「私の生涯で、ここ（アールスホット）で飲んだほど多量の酒を飲むことはもうないだろう」と記されていることから、この時の兵士たちの状態はどうであったかが推測できる。

この時不意に小銃の発砲があった。兵士らは狼狽してすぐに民家に銃撃を始めた。ところがその銃弾が市長宅のバルコニーにいた司令官に命中し、死亡してしまった。射撃が始まって地下室に逃げ

アールスホットの犠牲者の死体発掘。犠牲者の数は少なくとも百五十五人、うち七人は婦人。

ていた市長、妻、弟、息子は直ちに引き出され、捕縛された。また一司祭も捕縛された。

「何ら罪なき者三十人の一団は塹壕に連れていかれ、銃殺された。ただ一人、マメンスという人物が死体の埋葬作業のために残された。マメンスは埋葬作業が終わると、ルーヴェンに赴いて目撃した惨劇を同地の人に語り聞かせよ、と命ぜられた。それによってルーヴェンを震撼させようとしたことは、疑う余地がない」

しかし、これは始まりに過ぎなかった。他にどんな惨劇が演じられたかについては、次の一言を記せば足りるだろう。すなわち先に述べたような惨劇が続々演じられて、後日アールスホットで掘り出された市民の死体の数は百五十五体に上り、そのうち七体は女性だったのである。

六　ナミュールにおける二千人の虐殺

口実と事実

ナミュールは砲撃の後、独軍の手に落ちた。占領の翌日、独軍は市役所に放火し、その蒐集された名画と共にこの建物は灰燼に帰した。市の消防隊長は消火に尽力しようとして捕縛された。独軍側の口実は、独軍に対し発砲した者があった、というものであった。この件に関し、ベルギー政府はこう述べている。

「市民は十五日前に、すでに所持する銃器を当局に引き渡していた。市民は当局の掲示により、戦時法規について知らされており、また民政及び軍政当局、牧師、また新聞記事により、戦闘に加わらないよう指示されていた。ベルギー軍は、放火の始まる三十六時間以前に市街から撤退していた。仮に市民の中に一部武器を所持する者がいたとしても、市街に押し寄せ、全ての進入路を占拠している独軍に発砲するようなことは、狂人でなければ考えられない。そして市民が発砲したとされる五つの地点で、独兵がその地域を焼き払うのに必要な発火剤を前もって所持していた事実は、何を物語るのであろうか。ナミュールでの出来事は、独軍が習慣的に行っていた大規模な蛮行の一端を示すに過ぎな

Gouvernement Provincial de Namur

Avis très important

Le Gouverneur civil attire la très sérieuse attention des habitants de la province sur le très grave danger qui pourrait résulter pour les civils de se servir d'armes contre l'ennemi.
Ils doivent, à cet égard, observer, comme il convient du reste, l'abstention la plus complète.
C'est à la force publique seule qu'il appartient de défendre le territoire.
Toute inobservation de cette recommandation serait de nature à provoquer, le cas échéant, des représailles, des incendies, etc.

Namur, le 7 août 1914

Baron de Montpellie.

Vu et approuve :

Namur, le 7 août 1914

Le Gouverneur militaire,

MICHEL.

住民の挙兵を戒める民政軍政両長官の宣言書

ナミュール州庁
最重要なる掲示

民政長官は州民に対し、軍人以外の者が敵に銃器を使用せば容易ならざる危険発生すべきを痛切に警告す。

全州民はこれに関し細心の注意を払うべし。

国家防衛の任務は軍隊のみにあり。

この訓戒を少しにても破らば、争奪発砲等忽ち起こるに至らん。

一九一四年八月七日
ナミュールにて
軍政長官　ミシェル
上承認す　モントペリー男爵

い」

数日間にわたって民家は掠奪され、ある市民は所有する家具が独軍の荷車に載せられてドイツに運ばれるのを見た。多数の婦人、少女が凌辱された。七十五名が、火災の発生した家屋内で射殺されるか焼死した。そのような惨劇を蒙った後、ナミュール市及びその周辺の十七の自治体は三千二百万フランの罰金を課せられた。

乱酔したドイツ将校

ナミュール州全域で男性、女性、子供を合せて虐殺された者は二千人に達したとのことである。同州内のアスティエールという村落では、侵入した独兵に赤十字社に属する外科医が捕縛され、射殺された。しばらくして独兵らは「街路を横ぎって肉屋に行き、主人と妻子を家から追い出し、主人とその長男を射殺した。次に独兵はジュール・リフォンの農場に赴き、地下室に娘と隠れていた農夫を引き出して射殺、更にボドソンという農夫とその二人の息子、他に十人の住民が殺された。独兵は次にその村を荒らし回って、家屋の大部分を焼き払った。その教区の司祭とその義弟で大学教授、教授の妻と娘、学校長とその妻を含む家族、その他の住民が、教会の地下聖堂に隠れていた。独軍は窓から銃撃し、一同を強制的に外に出した。一同はドイツ将校の面前に引き出されたが、将校の中には乱酔している者もあった。女たちは男から引き離され、司祭、教授、学校長他、男たちは射殺された。その死体は路上に放置されたままであった」。

「私も殺して」

同州のシュリスという村で起きた事件である。

「極めて従順な人たちが射殺された。チャールズ・コロットという八十八歳の老人は、家から出たところを撃たれた。独兵らはこの老人の遺体を毛布でくるんで、これに火を付けた。ピエロという男は、燃える自宅から義母を救い出したところを近距離から撃たれた。またバーニオーという教会書記（子息の一人が司祭になったばかり）と（もう一人の）子息が、バーニオー夫人の目の前で撃たれた。ある庭園内では一人の婦人が殺されており、二人の子供がこれに取りすがって泣いていた。男女合せて五、六十人が独兵に連れ去られた」

「ある独軍士官が、『おまえらは全員銃殺されるはずだった。十五歳の娘が独軍に発砲したからだ。だが軍法会議の結果、男のみが銃殺されることになったのだ』と言った。それで男十八人が一列に立たせられた。その中には十六歳と十七歳の少年二人がいた。一人の若い独兵は、このあまりに残酷な光景に涙を流していた。婦人らは『私も殺して！　夫と一緒に撃ち殺して！』と泣き叫んだ。また年少のアンリ・ジャックは、勇気と救いを求めるかのように司祭の一人にすがっていた（この一群の中には四人の司祭と一人の医師がいた）。『僕はまだ若いから死を受け入れる覚悟ができないんだ』とすすり泣いていた。やがて兵士たちが発砲すると、男たちは押し重なって倒れた。何人かは、銃床で頭蓋骨を打ち砕かれて漸く息絶えた。そのうちの一人は司祭だった。この虐殺の後、独兵は死体から時計、指環、財布等の所持品を掠奪した」

この村は「徹底的に掠奪された」。百三十一戸の民家のうち、破壊を免れたのはわずかに八戸だった。

第十章　戦慄すべき英国調査委員会の調査結果

絶対的確証のある六種の戦時法規違反

犯罪の申し立てと処罰の現状

ここで少しの間、自由狙撃隊に対する合法的制圧というドイツ側の論拠を、是認ではなく仮定として受け入れてみよう。

ナミュールの司教が昨年記述したものに、「街や村の破壊や民間人殺害の個々の事例を詳細に調査すれば、その処罰の度が独軍の主張する罪状とあまりにも釣り合っておらず、独軍の言い分は如何なる議論によっても正当化できないことが明らかになるだろう」とある。我々はルーヴェン、タミンヌ、ディナン、アンダンヌ、アールスホット、ナミュールの六つの街で起きたことを見てきた。しかし、これらは独軍のベルギー侵入によって起きた惨劇の一部分に過ぎない。

調査委員会の事実認定

本書やあるいは他の書籍でも、ベルギー調査委員会の二十二巻にわたる報告書、英仏の調査委員会報告書、中立国の報告者が送った多数の書簡や、記事に記録された悲惨な出来事を全て再現することは不可能である。ただ英国調査委員会の事実認定を記録すれば足りると思う。この英国調査委員会の会長ブライス子爵は、過去に駐米英国大使、英国内閣閣僚を務め、高名な歴史家でもあり、英国で最も批判的精神をもつ人物の一人である。そしてこれらの事実認定に、この認定の根拠となったいくつかの事例を付記することとする。次に挙げるのはその事実認定である。

「左の事実に関しては絶対的な確証がある。ベルギーの各所で、過去三世紀の間、文明国間の戦争では類を見ない規模の殺人、暴行、掠奪が行われたのである」

一、ベルギーの各所で独軍は入念かつ組織的に住民の虐殺を企図し、その他多数の殺人や非道行為を行い、かつまた一般的な戦闘行為において多数の罪のない住民を男女を問わず殺害してきたことが証明されている。

二、独軍は女性を強姦したことが証明されている。

三、独軍はしばしば戦時法規及び慣例に反し、特に婦人や子供を含む住民を部隊の前面に立たせ、楯として行進することを強制してきたことが証明されている。

四、独軍は負傷兵や捕虜を虐殺し、またしばしば明らさまに赤十字旗及び徽章を無視し、かつ白旗をも顧みなかったことが証明されている。

五、独軍将校は掠奪を命じ、かつ称揚したこと、軍事上の必要性によるものではなく、単に住民を威嚇する手段の一つとしてこれを頻繁に行ったことが証明されている。

六、独軍将校は放火及び私有財産の破壊を命じ、かつ称揚したこと、独軍当局は開戦前に放火作業の準備をしたこと、頻繁に行われた破壊行為は軍事的必要性によるものではなく、威嚇する手段の一つであったことが証明されている。

次章では、これら六つの事実認定について、その実例を取り上げることにする。

ベルギーの負傷兵、自分の子を葬る
「幼児が殺害された事例が多数確認された」
英国調査委員会報告書。

第十一章　事実認定の根拠となる実例

一　「入念かつ組織的に企図された」虐殺、殺人及び暴行

「ベルギーの各所で独軍は入念かつ組織的に住民の虐殺を企図し、その他多数の殺人や非道行為を行い、かつまた一般的な戦闘行為において多数の罪のない住民を男女を問わず殺害してきたことが証明されている」――英国調査委員会第一事実認定

独兵の書簡より

ルーヴェン、タミンヌ、ディナン、アンダンヌ、アールスホット、ナミュールの事例で、「入念かつ組織的に企図された虐殺」の証拠はすでに十分示されている。故に、ここではその他の殺人行為及び蛮行を挙げれば足りる。独兵の捕虜または死体から得られた書簡から以下に抜粋する。

「恐るべき殺戮だ。村は焼き尽され、炎上する家にフランス人が投げ込まれた」（一九一四年九月三日付第八軍団ハッセマーの書簡より）

「町の住民三百人が銃殺された。残った者は墓穴を掘るよう命ぜられた」（一九一四年八月二十五日付野戦砲兵第四連隊第三中隊予備兵シュラウテルの書簡より）

「住民は皆村を逃げ出した。その光景たるや真（まこと）に恐るべきものであった。死者の中には多数の老女老人があった。また妊婦と三人の子供が抱き合うように死んでいた」（第一近衛歩兵旅団ポール・スピルマンの書簡より）

日常の光景
「独軍はベルギーの各地で非戦闘員の虐殺を企て、実行した」
英国調査委員会報告書。

司祭に対する暴行

前章では、司祭殺害の多くの事例について述べた。ここでは、前にも引用した南米の司祭ガマラが語る暴虐の例をいくつか挙げる。

「コーベック・ルーでは、独兵らが老牧師と他の司祭及び信徒を裸にして豚小屋に閉じ込め、『豚は豚の中へ』と囃し立てて嘲弄（ちょうろう）した」

「ブーケンの司祭は鼻と耳を切り落とされ、その後銃殺された」

「シャファーの牧師は綱で縛られて木に吊され、その綱を切って落されること三回に及んだ」

「ボーヴェン・ルーでは独兵らは教会の尖塔に上り、そこから住民を銃撃した。独兵は塔から下りてきて、司祭に『塔から住民を銃撃したのは自分だと言え』と迫ったが、司祭はこれを拒んだので射殺された」

信じられない蛮行

英国調査委員会の報告書には次の一節がある。

「アールスホットでは、司祭は両手を高く上げて壁の前に立たされた。疲れて手が少しでも下がると、独兵は司祭の足を銃床で強打した。司祭はこの状態で数時間立たされたが、その前を通る独兵はこの司祭の身体を便所と見なし、頻りに小便をかけた。小便まみれになった司祭は、結局独兵に射殺されてしまった」

これと同じことをガマラも報告している。

ベルギーの友(その二)
孤独と貧困にあえぐとも、この“友”を軽々しく信ずるわけにはいかない。

ベルギーのある教授も、イエズス会の司祭の死に関して同様の報告をしている。この司祭はルーヴェン大学国書館焼き払いに関し、その懐の手帳に「比較的穏当」な意見を記してあるのが見つかり、何ら訊問されることなく銃殺されたのである。

医師が語る惨事の模様

前にも述べたベルギーの医師は一般的な独兵の暴行の例として、次の事件を挙げている。

「独兵は無慈悲にも老人たちを捕え、銃剣で突いたり切ったりして拷問した」

「私は老人が牛を差し出すのを拒んだため独兵に撃たれ、三箇所に銃弾を受けて苦しんでいるのを手当てしたことがある」

「私が手当てした少年は、独兵から酷い扱いを受けていた」

「ある貧しい婦人はすすり泣きながら、抱いていた赤ん坊を殺されたことを話してくれた」

焼き殺されたベルギー人

ベルギー調査委員会は次の事実を記録している。

「モレンステッド付近で、独兵は必死に自分の娘を守ろうとした九十歳の老人を木に縛り付け、山のように藁を積んで火を付け、生きたまま焼いた」

「ピンでは二人の少年が独軍槍騎兵の行進を見ていたところ、槍騎兵は二人をその馬に縛り付け、少年たちが死ぬまで早駆けをやった」

「ゼムストでは、独兵は一人の少年を捕え、両腕を切り落とし、首を刎ね、体を燃え盛る家の中へ投げ込んだ」

「八月二十五日、ホフスターデでベルギー軍は銃剣で突き殺された老婦人を発見した。この老婦人は針と糸を手に持ったままであった。その傍に婦人と十六歳の息子が銃剣で刺殺されており、男性が首を吊されていた」

「ゼムストでは、両膝の下を切り落とされた男性と、両腕両脚を切断された男性の死体が見つかった。どちらも半ば焼けていた。またある職工はガソリンに浸され、炎の中に投げ込まれた」

「八月二十六日、マリーヌからそう遠くないところで老人が両手を縛られ、農舎の梁から吊り下げられているのが発見されたが、身体はほとんど黒焦げになっていた。またその先では十五歳の少年が後手に縛られ、銃剣で突き殺されていた」

独軍士官の身の毛もよだつ行為

以下はベルギー国王の侍医タッキンの見聞に基づいて記録した事例である。

「痛ましい状態の死体が山のように積まれており、独軍の一士官は一人の小さな子供を連れてきて、その頂に乗せ、子供の両足を死体の間に挟み、その陰惨な光景を写真に撮影した」

「母親が赤ん坊を抱いて通りに逃げてきた。赤ん坊は母の目の前で殺された。独兵らは母にその子を埋葬させ、それを見物して喜んでいた」

「ベルトリクスでは独兵らが青年と少女をその親の目の前で射殺し、その後二人を裸にして一緒に縛りつけ、藁に包んで火を放った」

「カレニョン及びブルージュでは、砲兵が住民たちをその巨大な攻城砲に縛り付け、離れたところから電気発火で発射した。これらの不幸な住民たちはその爆音で鼓膜を破られ、大変な苦痛を受けた」

「ある司祭は、その教会の婦人たちの面前で裸で大砲に縛り付けられ、その状態で砲弾が発射された」

村長の殺害

ベルギー人が受けた苛酷な仕打ちの典型例として、亡くなった人の親戚から私が直接聞いた事実をここに挙げてみよう。ある村で独軍は住民に午後七時以降の外出を禁止したが、同時に大量の食料徴発を行った。Ｍ・ピルメス村長は、その徴発に最善を尽そうと終日奔走して村民を説き回った。その激務に忙殺され、七時過ぎに帰宅したが、自宅前で射殺された。十四、五歳の息子が父を助けに出てきたが、これもまた撃たれた。しかしすぐには死なななかった。少年を助けるために母（ルーズ・コルスワレム家の出）が家から出ようとしたが、残酷にも独兵はそれを許さず家に閉じ込め、朝少年が息絶えるまで、母は終夜その子のうめき声、救いを求める声を聞かなければならなかった。

まだある独兵の自白

次の二つは独兵の書簡から抜粋したものである。

「村の外にも少数の住民がいた。中尉と私は彼らに向かって何発か発砲し、それからシャンパンを何本か飲み干した」（第八予備軽騎兵グスタフ・ショッパーの書簡より）

「我々は富有な住民の家屋に侵入し、いくつか室を通り抜けたところ、床の上に主人の死体があった。我々は室内で野蛮人のように暴れ、手当り次第に物品を破壊した。屋外で銃撃された住民らの姿は哀れなものだった」（一九一四年八月二十三日付第百七十八ザクセン連隊士官の書簡より）

独軍士官の行為

殺人以外の暴行に関しては、タッキン医師によるアールスホットの例がある。

「焼かれなかった家は掠奪され、それも手荒で卑劣なやり方でなされるのが常であった。持ち出せない家具はみな破壊された。ある家が独軍士官の宿舎として使われていた。広間、階段、庭園にはワインの空き瓶が散乱していた。マットレスは切り裂かれ、シーツと枕カバーは汚され、ずたずたに切り裂かれた。食堂の暖炉格子の中はワイングラスの破片が散乱し、ピアノは踏み壊されていた。独軍士官が使った目星しい邸宅は、どこも同様の乱暴狼藉を蒙った。彼らは至るところで、嫌悪すべき逸楽と不潔の痕跡を残した」

この士官にしてこの兵士あり

次のような事実をここで語るのは忍びない。しかしこれは一中立国人が語っていることである。

「一九一四年十月九日、ランデン駅に停車していた家畜運搬用貨車の中に、重傷を負った三人の英兵が横たわっており、それを二、三百人の独兵が取り巻いていた。この英兵たちはしばらく食うや食わずであった。独兵たちは代わる代わる湯気の立つ肉汁を、この飢えた英兵の鼻先に差し出しては『食いたいか、豚め』と叫び、また『何をくれてやろうか。そうだ、英兵には死をくれてやろう。殺してしまえ』などと連呼した。そして遂に独兵たちはこの哀れな英兵たちを銃で殴打し、その衣服や顔に唾を吐き掛けた」

これはベルギーに四カ月滞在したオランダ人モクフェルトが、その著書に書いている内容である。次に示す書簡は、予備歩兵第十二連隊（第一軍団予備軍）の一兵卒の懐より収容されたものである。

「遺憾ながら、私は起きてはならぬことが起きたことをここに記さなければならない。我が軍の中には、もはや人間でない、全く敬虔な心のない畜生に等しい暴漢が存在する。これらの暴漢の一人は、閉ざされた聖具室に侵入し、排泄物で汚した。何たる罰当りであろう。また昨夜は、三十五歳既婚の国防軍の兵が、営舎にした家の娘を強姦しようとした。この娘はまだ子供であった。父はこれを止め

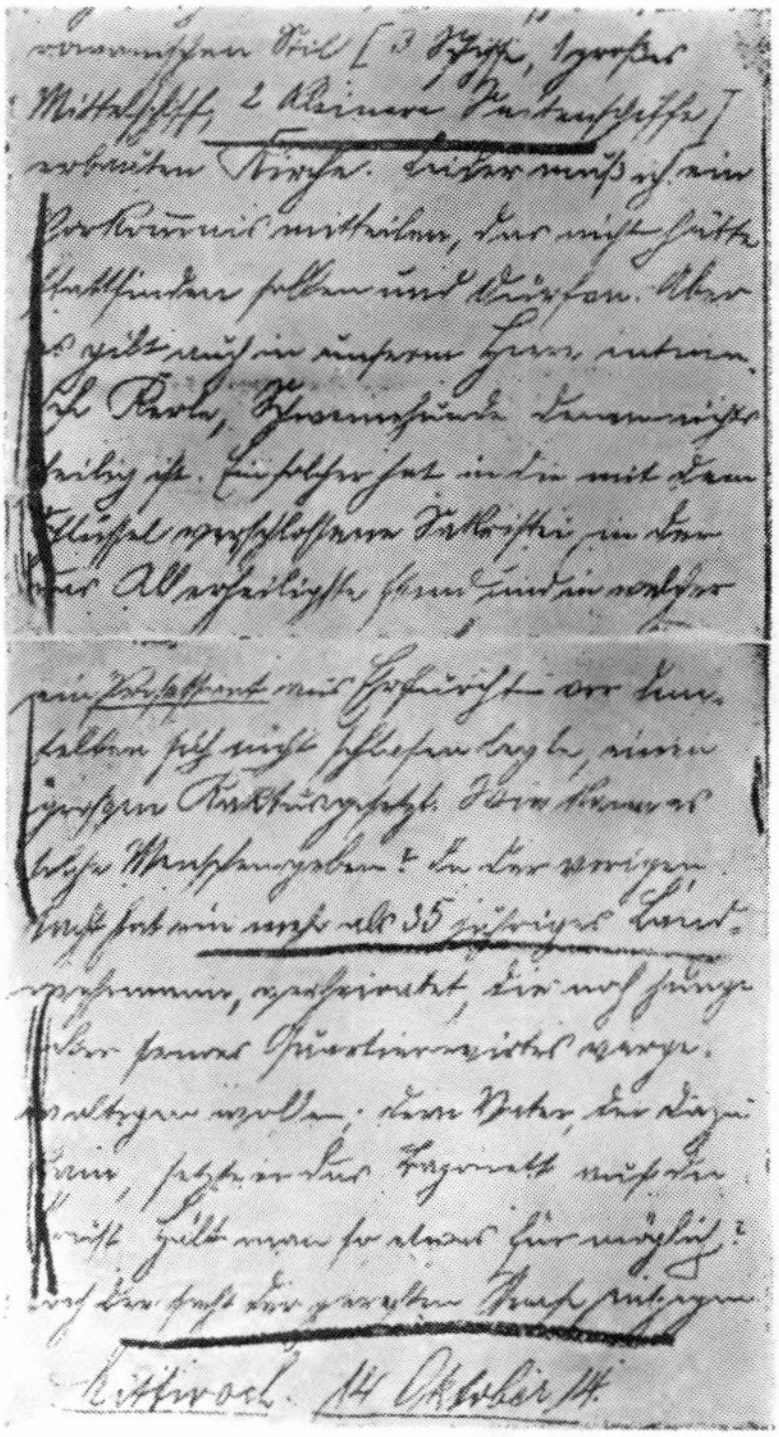

獣行が記された予備歩兵第十二連隊に属する一兵卒の書簡

ようとしたので、この兵は銃剣の先を父の胸に突きつけた」

ハーグ条約第四十六条には「家の名誉及び権利、個人の生命、私有財産並びに宗教の信仰及びその遵行はこれを尊重すべし」と規定してある。

二　女性に対する暴行

「独兵は女性を強姦したことが証明されている」——英国調査委員会第二事実認定

もはや人にあらず、野獣なり

記名のない独兵の手帳の最初の頁に、こう書いている。

「ランゲヴィラ（この地名はおそらく誤記、ロンジュヴィルのことだろう）、八月二十二日。この村は第十一工兵大隊によって破壊された。三人の婦人が、木に首を吊るされた」

この手帳の最後の十頁目には、次のような戦慄すべき事実が記載されている。

「このようにして我々は八軒の家を破壊し、その住人を殺した。そのうちの一軒で、二組の夫婦と十八歳の少女が銃剣で突き殺された。この娘の純真な表情を見て自分も憐れに思わざるを得なかったが、多数の兵士を制することはできなかった。兵士たちは非常に興奮しており、そのような状況では彼らはもはや人間ではなく、野獣だったからである」

第百七十八ザクセン連隊の士官の報告に、「リソンジュ付近でマールブルクという斥候が、三人の婦人を縦一列に立たせ、一発で全員を射殺した」とある。

また次の事実は、ベルギー調査委員会がその報告書に記録したものである。

「八月三十日、ドイツ軽騎兵の斥候隊は七十四歳の老婦人カトリーヌ・ヴァン・ケルチョーヴに発砲、すぐに死なないように、できるだけ多く射撃を加えて楽しんだ」

「八月二十六日、ドイツ予備歩兵第四十八連隊はエレヴェイトを占領した。同地の少女のほとんどは、その両親らの面前で強姦された」

「ベイゲムでは、クメル中尉が指揮する兵士たちが妙齢の一婦人を牧師館に連行した。妹と司祭の面前という最悪の状況下で、その婦人を陵辱するためであった」

「戦争が始まって間もない頃、仏軍が最初に到着した国境近くの村で、五十体の婦人の死体が発見された。死体は裸の状態で、農舎の長い壁に縛られていた。独兵はこの婦人たちを足の方から徐々に上の方を射撃し、遂に死に至らしめたのである」

「レフの大修道院で多数の婦人が囚われていた。三日目、婦人たちはいくら出せば解放してもらえる

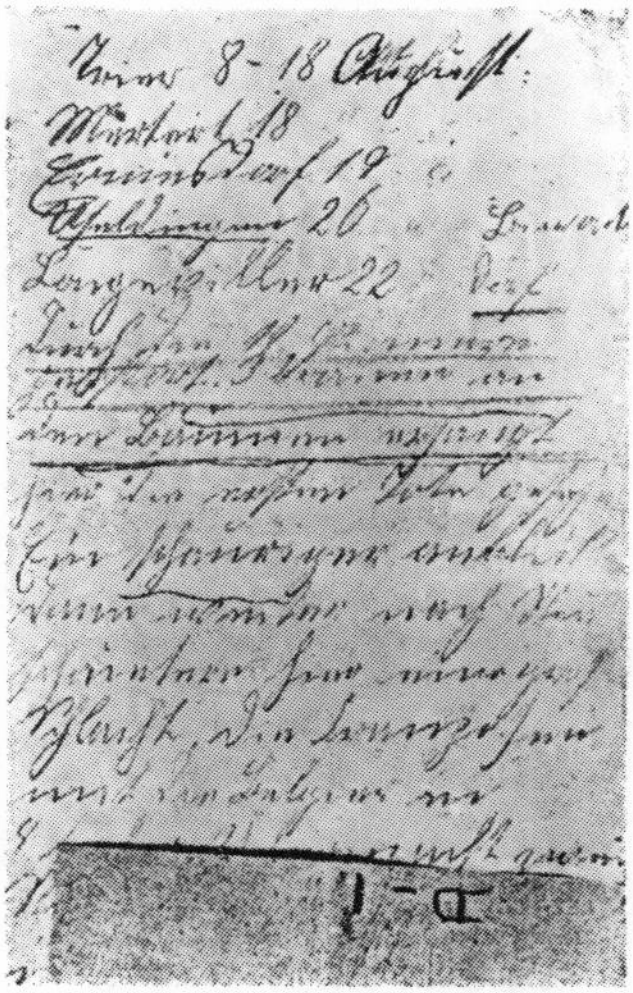

三人の婦人を絞首した事実を認める独兵の記述

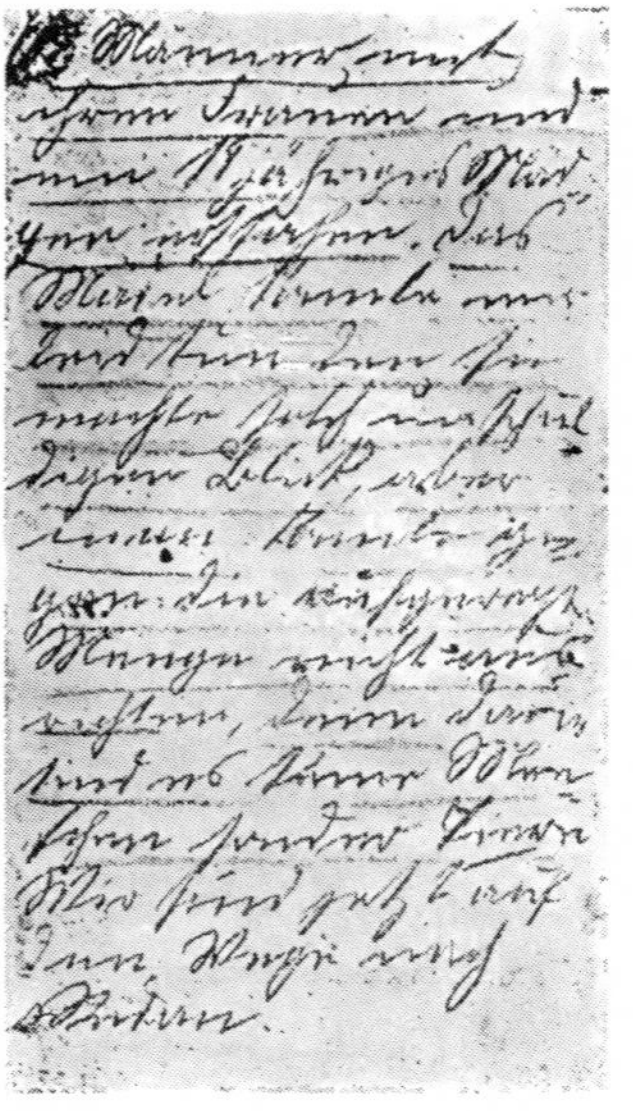

殺人を自白した独兵の記述

かと尋ねた。独軍はこれに答えて三万フランを要求した。そこで婦人たちは何とか一万五千フランを集めて差し出し、これで勘弁してほしいと懇願した。独軍はこの金を取り上げた上、婦人全員を銃殺すると宣言した。結局婦人たちは皆解放されたが、そのほとんどは言うに忍びない凌辱を受けていた」

南米の司祭ガマラによれば、コーベック・ルーで「独兵は男も女も裸にして向き合って立たせ、その後彼らを走らせ、それを銃撃した」と述べている。

士官も兵卒と同様に悪虐

アーサー・タッキン医師は次のように記している。

「獣行は日常的に行われ、おそらくこれを免れた村や町はあるまい。必死に抵抗して意に従わない婦人少女は、兵士がこれを組み伏せて士官の慰みに供した場合も多い。また辱められた婦人の夫、母、子供ら家族は、手足を縛られて、面前で獣行を見せつけられたこともしばしばあった」

「ブリュッセルでは、マックス市長自らがレストランに赴いて、独軍士官の見るに忍びない乱交を止めに回らなければならなかった。シャルルロアでも同様の状態であった。独軍士官はカーテンを閉めることさえせずに、平気で醜態を演じていた」

「妊婦でさえ容赦しなかった。夫や子供の面前で陵辱され、一層の苦痛を受けることも稀ではなかった。ラームスドンクに近いオプ・デン・ベルグである父親は、我が娘たちが十人の独兵に交る交る辱めを受けるのを見ている外なかった」

「またアントワープ近郊の田舎家では、主人は独兵の言うなりに何でもさせられた。夕食時、主人は椅子に縛り付けられ、その娘二人は裸にされ、裸のまま給仕をさせられた。士官たちの辱めを受けた後、不幸な娘たちは兵士らに回された。娘の一人は自殺し、一人は発狂した」

恐ろしい事例の数々

以下の八つの事例は、英国調査委員会報告書からほぼ無作為に選んだものである。

「ハインに行く道で私は二人の婦人に会った。二人とも私の知人である。一人は自宅で独兵に辱められたと語った。もう一人もまた同じことを語った。二人は辱めを受けた時、一緒にいたのである。彼女らは多数の独兵に辱められた。また彼女らの夫は、二人が辱められた後に撃ち殺されたとのことである」

「家に帰る途中、隣人のD夫人に会った。彼女が言うには、独兵はこの夫人の娘を屋根裏へ追い上げた。この娘は妊娠八カ月と二週だったが、二人の独兵に辱められ、翌日出産した。母は娘が屋根裏に

あるベルギーの家庭
夫は殺され妻は辱めを受けた。

追い上げられた時、続いて上がろうとしたが、独兵は銃剣を突き付けて上らせなかった。同じ日、十六歳のWという少女が私に、二人の独兵に辱められたと話した。リエージュ郊外のアンスの飛行場を通り過ぎたとき、二十八から三十歳くらいの一婦人が裸で木に縛り付けられているのを見た。その足下には三、四歳くらいの子供が二人倒れていた。三人とも惨殺されていた。婦人の胸元は血まみれで、体にはいくつか黒い痕があった。子供の方は銃剣で刺突されたような創痕が見えた。婦人の衣服があたりに散乱していた」

「真夜中に四人の兵士が戻ってきて、その中の二人は男がいないか確かめるために、馬小屋の方を捜索した。その後四人は私の義母と義姉を辱めた。兵士は二人を辱める前に拳銃を突き付けた。義姉は生後四カ月の嬰児を抱いていた」

「我々は苦悶の声を聞き、次いで数人の独兵が走り去るのを見た。声のした森に入ると、一人の若い娘が裸で倒れていた。体は傷だらけだった。娘は気を失っており、衣服は下敷きになっていた。我々は娘を半壊した家屋に運び、体を少し洗うなどして介抱した。意識が戻った娘の話によると、八百ヤードほど離れたところにある焼払われた村からこの森に連れてこられ、六人か七人の独兵に辱められたという。娘の下半身は傷だらけだった」

「住民は皆教会に閉じ込められた。私はその中にM婦人を見たが、彼女は半狂乱状態にあった。そこに数人の独兵がやってきた。M婦人は独兵を見るや否や高声に罵り始め、自分が五人の独兵に森の中へ連れていかれ、乱暴されたことを明言した。これを聞いた独兵は激怒し、彼女の手足を縛って動けぬようにした。独兵がここを立ち去った後、M婦人はルーヴェンの精神病院に送られた」

「トレーメロの近くで、私は一人の婦人が四人の独兵に捕えられるのを見た。独兵はこの婦人を藪の中へ連れていき、衣服を引き裂いて、順に辱めた。私は何の武器も持っていなかったので、それを止めさせることができなかった。婦人はもがき、悲鳴を上げた。独兵は立ち去ったので婦人のところへ行ってみると、この婦人は見るも無惨な状態にあった。婦人は叫び、悶え悲しんだ。婦人は独兵の一人に、かなり深く爪を突き立てたと言った。実際婦人の爪には大量の血と皮膚の一部が付いていた。婦人はこの土地の者だという。私はできる限り婦人を慰めて、その場を立ち去った」

「九月十七日、私はブリュッセルからゲントに行く路上で、アントワープのSという貴婦人に会った。私はアントワープにいる私の母に手紙を届けてほしいと頼んだところ、彼女はこれを引き受けてくれた。後に私の母から聞いたところによれば、この貴婦人は独兵に辱められたことを母に話したとのことである。その話は私も彼女から聞いていた」

「私の友人の一人（軍人）は仏語を話す。ウェイツスカーテでは、食事を作らせてもらおうと彼と一緒にその村のある家に入った。その家には三十五歳くらいの婦人がいた。夫と息子は戦死したと話していた。その家に独軍の槍騎兵が来て、お金や所持品はほとんど奪われ、家具も壊され、さらに婦人は辱めを受けたという。我々がこの家にいるところへ、近くに住む二人の婦人がやってきた。彼女たちは、村中の婦人はほとんど一人残らず辱められたと話した」

士官の犯罪の数々

士官もまたこれら犯罪者に含まれていた事例をいくつか紹介する。

「男たちが皆殺された後、すぐに独軍は大学街の家々から婦人や少女を二十人ばかり連れ出すのを見た。彼女らは皆腕をつかまれていたが、逃れようともがいていた。その時この中の十五人ほどが辱められた。一人が十二人ほどの兵に辱められたのである。その行為を約七十人の兵が周囲から見物していたが、その中には五人の青年士官もいた。この士官たちが行為を始めた。その間約一時間半。婦人らの多くは気絶して、全く死んだようだった。赤十字がこれを介抱して病院に送った」

「（屋根裏から）キッチンを覗くと、一人の士官と二人の兵士の三人がいた。士官は農夫の妻に何か言い、その婦人が士官を押しのけるのが見えた。五、六分後、二人の兵士は婦人をつかみ、押し倒した。婦人は抵抗したが、衣服を引き剝がされ、丸裸にされた。一人の兵士が婦人の両肩を、もう一人が両腕を押さえ、士官が陵辱した。行為が終わると士官は婦人を押さえる側になり、兵士らが暴行に及んだ。三人の行為が済むと、士官は婦人の乳房を切り落とした」

「士官は私にシャンパンを持ってこいと命じた。私は十本差し出した。その後、もっと持ってこいと命じて、五、六人の士官と三、四人の兵を招いた。彼らは瓶の口を叩き割って飲んだ。そのうちに一同はひどく泥酔し、もう飲めないのに瓶の口を割っては次の瓶を差し出させた。ちょうどそこへ奥様が顔を出したところ、床に座っていた士官が立ち上がり、奥様のこめかみに拳銃を突きつけ、引き金を引いた。この士官は明らかに泥酔していた。胸と腕に黄色の飾緒（かざりお）を掛けていた。他の士官はなおも飲みかつ歌い、人が殺されたことなど少しも気に留めぬ様子だった。奥様を殺した士官は主人を呼び出し、墓穴を掘って葬れと命じた。それから主人とその士官は庭に出ていった。士官は主人に拳銃を向けて脅していた。主人は止むを得ず穴を掘り、奥様を埋めた。奥様が撃たれる前、兵士たちは拳銃を鏡や窓ガラスに向かって撃っていた。なぜ奥様が殺されたかは私には分からない。奥様を殺した士官はただ歌ってばかりいた」

米国女医の調査結果

ニューヨーク婦人病院の女医エリザベス・J・ヴァン・スライク女史は、米国赤十字に同行して欧州に渡航したが、最初は独兵の残虐行為の報告を信用していなかった、と書いている。しかし女史は自らこれを調査することにした。女史の報告は次の通りである。

「私は独兵からひどい凌辱を受けた婦人を数多く見た。一人は四十歳くらいの婦人だが、筆舌に尽し難い状態にあり、**この婦人のまだ小さい二人の娘は殺害されていた**。私は米国の婦人たちに真実を知ってもらいたい。**独軍に侵略された地域に住むフランス人及びベルギー人女性のうち、陵辱を免れた人はほとんどいなかった**。これらの残虐行為に関する報道は事実である。私は彼女たちを調査したので、そのことを知っている。ただ積極的に話すことは、私には憚られる」

傍点を付けた部分は実に驚くべきことであり、初めてこれを読んだ者は容易には信じられないかもしれない。しかし本書の読者には、ただタッキン医師の記述した内容を追認するに過ぎないものであることがわかるだろう。

ハーグ条約第四十六条に規定された「家の名誉はこれを尊重すべし」という条項を、ここでも取り上げざるを得ない。

三　人間の楯

「独軍はしばしば戦時法規及び慣例に反し、特に婦人や子供を含む住民を部隊の前面に立たせ、楯として行進することを強制してきたことが証明されている」――英国調査委員会第三事実認定

驚愕の事実

エッペゲムでは、ほぼ全ての住民の男たちが前線で独軍の前面に立って歩かされた。他にも同様の事例がある。

「八月二十五日、リヴ橋で独軍は多数の婦人をその部隊の前面に立たせた」

「八月二十九日、ヘルートで約五百の婦人と子供、二人の司祭が、独軍に対する攻撃を防ぐべく、その前面に立たされた」

「テルモンド攻撃の際、独軍は五人の婦人を含む住民十五人を隊列の前面に置いた」

「ホフスタッドでは、独軍は一人の婦人を裸にし、銃剣を突きつけてベルギー軍の前線に向かって先頭を歩かせた」

「八月十六日、独軍は攻撃に際して、少女を裸にし、その父と並んで隊の前面を歩かせた」

ハーグ条約第二十三条にはこう書かれている。

「敵国に属する者を背信の行為を以って殺傷することは特に之を禁ず」

独軍の楯にされたベルギー人
独軍は戦時法規及び慣例を破り、婦女子まで敵の砲火にさらされる前面に立たせ、軍の楯とした。英国調査委員会報告書。

四　負傷者及び捕虜の殺害

「独軍は負傷者や捕虜を虐殺し、またしばしば明らさまに赤十字旗及び徽章を無視し、かつ白旗をも顧みなかったことが証明されている」――英国調査委員会第四事実認定

英雄が起こした事件

シレジアのヤヴォルで発行されたドイツの新聞を掲載する。第一面には第百五十四連隊第一中隊の一下士官の書簡が掲載されており、その文面は仏兵たちが樹上に隠れて独兵を奇襲（この行為は軍事上全く正当）したことで、独兵は仏兵が負傷して倒れた際、どのようにして殺したかを伝えている。

「こいつらを医者の手に掛けるまでもない。我々はこれを容赦せぬ。我々は負傷者を皆銃剣で突いた。命乞いをする一人の仏兵の身体は地に突き刺された。また私は物の壊れるような音を耳にしたが、それは独兵が銃床で別の仏兵の禿頭を打ち砕いた音だった。彼は賢明にも自分の銃を壊さないよう、仏兵の銃を使った。仏兵たちは苦しみ叫んで命を乞うた。しかしその負傷の軽重に関係なく、我が勇敢な歩兵たちは祖国が多数の敵兵を養う費用を節約せしめた」

このドイツの英雄たちは「夜になると、感謝の祈りを捧げ、熟睡した」。

この書簡の終りには次のような署名がある。

「正確であることを証明す、中隊長デ・ニーム中尉」

Jauersches Tageblatt

Amtlicher Anzeiger für Stadt und Kreis Jauer

Nr. 245 — Jauer, Sonntag, den 18. Oktober 1914. — 109. Jahrgang

Abermals ein englischer Kreuzer vernichtet.

Die Unterseeboote erneut an der Arbeit.

Nichtamtlich. **Berlin**, 17. Okt. Aus London wird amtlich unterm 16. Okt. gemeldet: Am 15. Okt., nachmittags, wurde der **englische Kreuzer „Hawke" in der nördlichen Nordsee durch einen Torpedoschuß** eines Unterseebootes **zum Sinken gebracht.** 1 Offizier, 49 Mann wurden gerettet und in Aberdeen gelandet. Etwa **350 Mann werden vermißt.** Zu gleicher Zeit wurde der **Kreuzer „Theseus" angegriffen,** aber ohne Erfolg.

Wie W. T.-B. von amtlicher Stelle mitgeteilt wird, liegt eine Bestätigung von deutscher Seite nicht vor.

Der neueste amtl. deutsche Schlachtenbericht.

Unsere Beute in Brügge, Ostende und bei Schirwindt. — In Suwalki alles ruhig. — Fortdauer der Kämpfe bei Warschau.

Amtlich. **Großes Hauptquartier**, 17. Oktober, vormittag. In **Brügge** und **Ostende** wurde **reichliches Kriegsmaterial** erbeutet, u. a. eine **große Anzahl Infanterie-Gewehre und Munition, sowie 200 Lokomotiven.**

Vom [illegible] Kriegsschauplatz sind wesentliche Ereignisse nicht zu melden.

Im Gouvernement **Suwalki** verhielten sich die **Russen** am gestrigen Tage **ruhig**. Die Zahl der bei **Schirwindt** gemachten **Gefangenen** steigerte sich auf **4000**, ebenso wurden **noch mehrere Geschütze genommen.**

Die **Kämpfe bei und südlich Warschau dauern noch fort.** W. T.-B.

Ein Tag der Ehre für unser Regiment.

24. September 1914.

[illegible]

敵負傷兵を殺戮した独兵の嬉々とした証言を掲載した新聞記事

驚くべき犯罪の自白

次に挙げるのは、独兵の書簡の抜粋である。

「負傷者の体を切断することは、日々の行事となってしまった」（第九軍団第九工兵大隊パウル・ゴーデの書簡より）

「我々は捕虜のうち自ら歩行し得る者は全部同行を命じた。しかし頭部、肺等を負傷し立つことができない者には、なお一発の弾丸を与えて生命を絶った」（一九一四年八月二十八日付第十一軍団歩兵第三十四連隊ファーレンシュタインの書簡より）

「九月八日、日曜日。仏兵は負傷者の他は降伏の意志ある者も全て殺すべし、との命令が下った」（第十八軍団歩兵第百十七連隊下士官ハインリヒ・フローティヒの書簡より）

「敵兵の降伏は許すべからず」（第十六軍団歩兵第百四十四連隊ブフマン兵長の書簡より）

「大尉は円陣を組んだ我々にこう言った。『今我々が落とそうとしている要塞には、おそらく英兵もいると思われる。しかし私は、我が中隊で一人たりとも英兵の捕虜を見ることを望まない』」（第九軍団歩兵第八十五連隊下士官ゲッチェの書簡より）

「我々が敵に接近した時、敵は両手を挙げて叫んだ。『友よ、我々を許せ』と。

負傷者の手足切断の事実を記載した独兵の書簡の一節　（第九軍団第九工兵大隊Ｐ・ゴーデの書簡）
この頁や他の頁に掲載した書簡は、独兵の犯罪行為を示すものとして英国やフランスの出版物に掲載されたもののほんの一部に過ぎない。

しかし我々はこれをどうすればよかったのか。我々は敵を捕虜とすることを禁じられていた」（一九一四年十月五日付『コンスタンツェル・ツァイトゥング』紙に掲載された独兵の書簡より）

「十二月二日、バイエルン人はもう捕虜をとらない」（近衛歩兵第二中隊、K・バルテル軍曹の書簡より）

「八月二十四日、エルメトン村で、少なくとも五百人の捕虜が殺された。村は焼払われた。我々はパン、ワイン、バター、そして貯蔵された果物を見つけた。我々は身に付いた血を洗い、また銃剣の血も洗った」（近衛第一連隊一兵卒の書簡より）

すでに何度も引用したベルギー人医師の報告の中にも、次の一節がある。

「自分が介抱した負傷者の中に、非常に教養のあるザクセンの法学生がいた。この学生の話によれば、彼のいた中隊では降伏した英兵を悉く殺してしまった、士官から英兵を一人も捕虜にしてはならぬと命ぜられていた、という」

将軍の命令

しかしドイツ陸軍の行動を最も証明する例は、一九一四年八月二十六日にステンゲル将軍が下した次の命令である。

「今日以後我が軍は敵を捕虜とするべからず。捕らえた敵は全員殺すべし。負傷者はその武器を有すると否とにかかわらずこれを殺すべし。既に護送中の捕虜もこれを殺すべし。我が軍の後方には一人たりとも敵を生かしておくべからず。

（自署）中隊長　ストイ中尉
連隊長　ノイバウワー大佐
第五十八旅団長　ステンゲル少将」

ハーグ条約第二十三条には「助命せざることを宣言することは特に禁ず」とあるが、前述のような命令が発せられたことは疑うべくもない。ステンゲル旅団（バーデン歩兵第百十二連隊及び第百四十二連隊）に属する約三十人の独兵捕虜による宣誓供述で、八月二十六日にモゼバッハ少佐やクルティウス中尉などが部隊にこの命令を伝えたことが確認された。これらの捕虜の大多数は命令が実行されたかどうかは知らなかったが、そのうちの三人は命令がティアヴィルの森で実行されたのを見たと陳述している。この森で、独軍の一大隊が助命されていた仏軍の負傷兵十人から十二人を殺害したのである。また他の二人はティアヴィル通りでこの命令が実行され、溝にいた若干の負傷兵は独軍の一中隊に見つかり、皆殺されてしまった、と陳述した。

ベルギー軍が見た戦慄すべき光景

以下の事実は、ベルギー調査委員会報告書より抜粋したものである。

「一人の自転車化狙撃兵の死体が、オルスマエルの垣根で吊り下げられてあった」

「八月二十三日、ナミュールで独兵はブリボシア医師の個人病院から独兵負傷者を運び去ったが、他に治療中のベルギー兵二人と仏兵二人を殺し、同病院に放火した」

「バールベック付近の森でベルギー兵の死体二十二体が発見されたが、そのうち十八体は顔面を銃剣で突かれていた。銃弾でも負傷していたが、これは致命傷ではなく、ただ逃走させぬためのものだった。他の四体には致命的銃創があり、銃剣の傷はなかった」

「八月二十五日、野戦第二十四連隊の兵卒ルーテンスは、二人のベルギー兵が完全武装のまま木に縛りつけられているのを発見した。上着の前部を引き裂かれ、明らかに腹部が銃剣で刺突されていた。内臓が傷口より露出していた」

ベルギー兵捕虜の嘗めた辛酸

次に述べるような事実は、ほとんど枚挙に暇がない。

「野戦第二十五連隊の兵卒ブルムは、独兵に口を割ることを強いられ、熱湯中に両手を入れられた。また近くにいた別の兵卒はその首を徐々に曲げられ、遂に首の骨が折れるに至った」

「野戦第十八連隊のポンシン中尉はワイヤーで縛られ、射殺された」

「八月六日、ルーヴェンで一人の兵士が街燈に首を吊されていた」

「九月二十四日、騎兵ベークランドは縛られて銃剣で内臓をえぐり出されていた。これと同様のことは二人の騎銃兵に対してもなされた」

「タミンヌでは士官が木に縛りつけられ、その両足を馬に繋がれ、真二つに引き裂かれた」

ハーグ条約第四条には「捕虜は人道を以って取り扱うべし」と規定してある。その第二十三条には「降伏を乞う敵を殺傷することは特にこれを禁ず」とある。

病院、救急車に加えた攻撃、また赤十字旗並びに白旗を無視したこと等に関しては、英国調査委員会の報告書中の、既に述べた多くの恐るべき暴行の記述の後に掲載されているが、証言そのものではない、その要約だけで二頁半を占めていると言うだけで十分であろう。

五　掠奪及び無慈悲な破壊

「独軍将校は掠奪を命じ、かつ称揚したこと、軍事上の必要性によるものではなく、単に住民を威嚇する手段の一つとしてこれを頻繁に行ったことが証明されている」——英国調査委員会第五事実認定

驚嘆すべき告白

まず独兵の書簡をいくつか抜粋してみよう。

「村は隅から隅まで掠奪され、荒らされた。独軍の蛮行について伝えられていることは、結局のところ事実である」（第十軍団第七十八連隊一兵卒の書簡より）

「何から何まで悉く掠奪された」（近衛歩兵第一旅団シュピルマンの書簡より）

「その日我々は発火弾を家々に投げ込み、夜は『我らは今神に感謝す』という歌を唱った」（歩兵第百七十七連隊モーリッツ・グロッセの書簡より）

「次から次へと村が炎に包まれた」（バイエルン歩兵第三連隊の兵士ライ

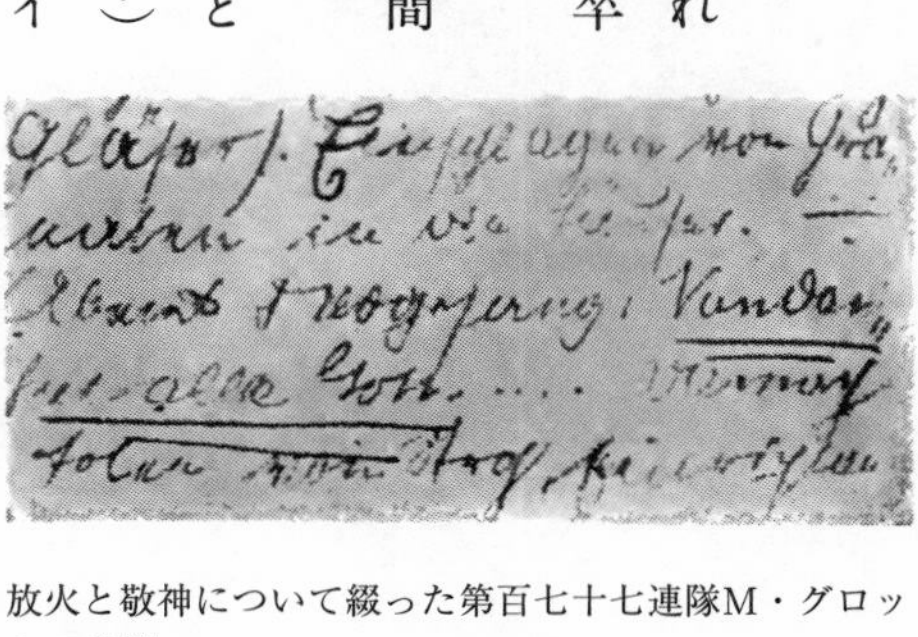

放火と敬神について綴った第百七十七連隊M・グロッセの書簡

“ドイツ文化(クルトゥール)”
独軍将校が兵士に掠奪を命じ、それを称揚した事実が明らかになっている。
英国調査委員会報告書。

“ドイツ文化”が通り過ぎた道
北清事変の時、独帝は軍の出発に際しこう告げた。「爾等の手に落ちた全ての者を思うがままにすべし。千年前にフン族が勇名を馳せたように、ドイツの名を世界に知らしめよ」（フン族とは四世紀より五世紀にわたり欧州を蹂躙した蛮族）

スハウプトの書簡より）
「ほぼ全ての家で掠奪し、家を焼き払った」。（一九一四年八月二十三日付第八師団歩兵第十連隊下士官ヘルマン・レヴィトの書簡より）
「一九一四年十月十一日、一日に五、六本のシャンパンを飲み、下着は絹ばかり。下着が必要になると家に入って着替えるだけだ。家の中に誰かいると必ず『ムッシュ、もう何もありません』と言うが、『何もない』という言葉は我々には通用しない。憐れな人々を見ると気の毒に思うが、しかし戦争である。仕方がない」（騎兵フリッツ・ホルマンの書簡より）
「メリエでは、ほとんどの期間、何も代償を支払ったことはなかった。ビールはケースで持ち去ったが、これには徴発受領証（何の価値もない）を渡したに過ぎない。その時には、多数の兵士が人面獣心となっているのを目の当たりにした。〝ドイツ文化（クルトゥール）〟というのは上辺の飾りに過ぎないのではないのか、と問いたくなるような光景が見られた。乱暴者が隊をなし、何でも手当り次第に強奪して回っていた。彼らは度々（たびたび）、それらの行為を下士官から奨励されていたのである。彼らは野蛮人の如く民家を物色した。全ての良識は失われ、その結果我が軍は非常に評判を落したのである」（予備役下士官エーリッヒの書簡より）
「彼らは少しも軍人らしく振舞わなかった。ただの泥棒、追いはぎ、強盗に過ぎなかった。これは実に我が連隊、我が陸軍の恥辱である」（国防軍歩兵第六十五連隊一兵卒の書簡より）
「軍紀は乱れた。工兵はもはやその価値を失った。砲兵は盗賊の群と化した」（予備歩兵第七十七連隊一中尉の書簡より）

正式命令

以下に記すのはルーヴェンで起きた出来事である。

「兵士らは群を成して、掠奪した物を手押し車に積んで運び去り、一方工兵らは五昼夜にわたり、組織的に次から次へと家屋に火をかけ、最も裕福で広大な街区を焼き払った。放火が始まると、やがて全市は巨大な溶鉱炉と化した。通りに散乱した死体が空気を汚した。何世紀にもわたって我々に遺された貴重な美術品、実直な人々よって蓄積された富は、全て正式命令の下に行動する野蛮な兵士らのために灰燼に帰した。この破滅的光景の中で、兵士らは酒を飲み、『栄光』を歌い、叫び、暴れた」

次に紹介するのは、独兵の捕虜及び死体から収容した書簡の抜粋である。これには何も論評を加える必要はない。

「我々は士官及び下士官の命令・指導の下、まるで演習を行うかのように実行した」

「八月十七日、国王秘書官が所有する邸宅で、我が兵卒はまさに野蛮人の如く振舞った。あらゆるものが破壊され、散乱していた。高貴な絹製品、磁器などがひっくり返され

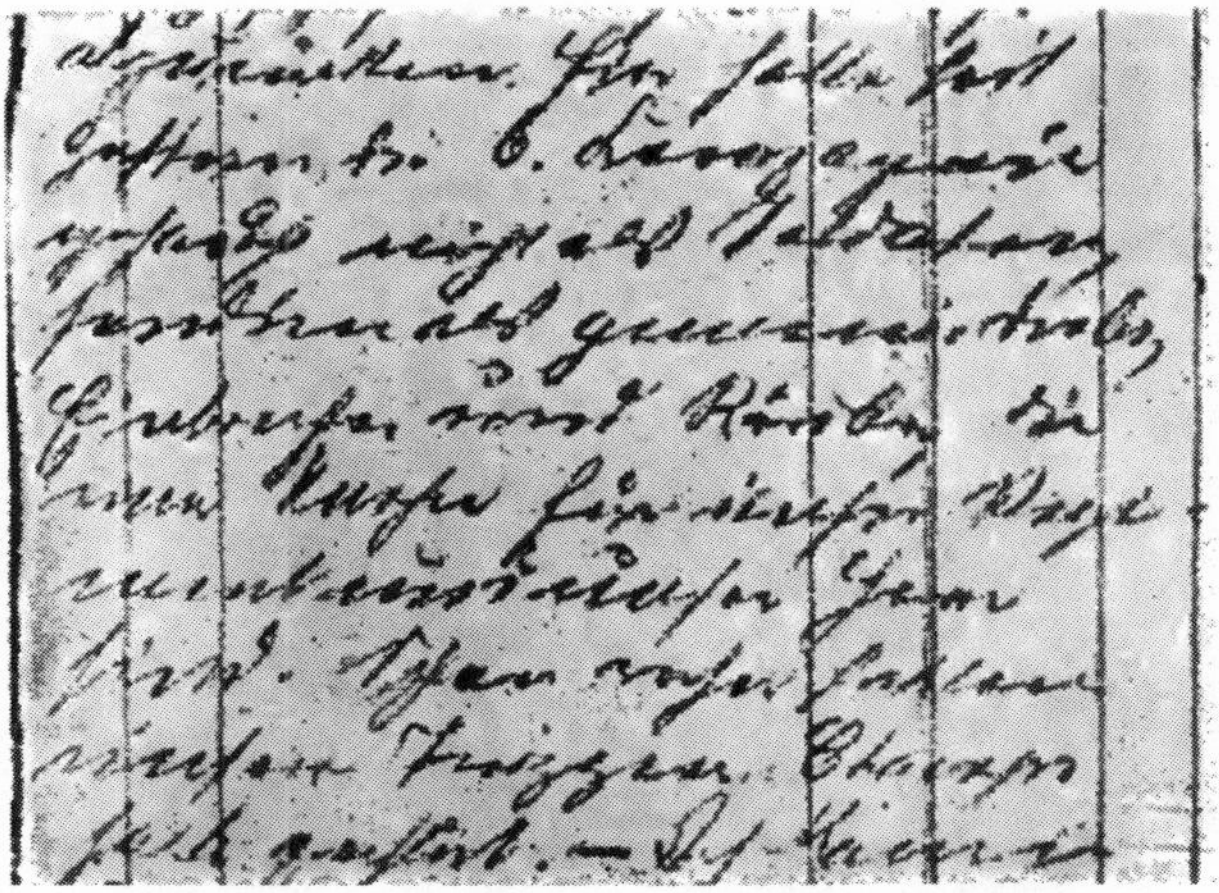

恥ずべき行為を自白した独軍第六十五連隊に所属する一兵卒の書簡

ていた。これは、兵卒が必要物資の徴発を許されたときに行われたことである。兵卒は面白半分に不用の品物までも持ち去った」（ザクセン第百七十八連隊一将校の書簡より）

「ハレの国民軍一個大隊は、あらゆる種類の物資を運搬して到着した。特に酒をたくさん持っていた。すでに乱酔した者も大勢いた。この大隊は徴発の名の下にあらゆる物を待ち去るつもりで、手近の家屋に押し入るために隊伍を組んでいた。士官らは自ら掠奪の模範を示すべく先頭に立った。その日私は、筆舌に尽くしがたい嫌悪の念を抱いた」（一九一四年八月二十九日付国民軍第一中隊、ガストン・クラインの書簡より）。

私の手許には、独軍が爆薬で破壊した銀行の金庫の写真などがある。ディナンでもこれと同様のことが起った。ベルギー調査委員会第十一次報告書には、次のように書かれている。

「兵士らは市中の家々を掠奪して回った。金庫を破壊し、これを開けた。時には爆薬を用いることもあった。独兵は中央銀行に押し入り、取締役ワッセイジュを捕え、全ての金庫を開けるよう要求した。氏がこれを拒絶したので、兵は金庫を破壊して開けようとした。しかしうまくいかなかったので、兵は怒ってワッセイジュとその子息二人をアルム広場に連行し、銃殺にした。同氏の幼い子供三人も連れていかれ、父と兄たちの処刑を見せられた」

独軍士官、盗品をドイツに輸送

ある英国の記者は、「ドイツは一八七〇年の普仏戦争では好んで掛時計を奪ったが、今のドイツはピアノを奪うに至った。〝ドイツ文化〟の進歩である。独兵は、ベルギーのピアノを貨車に満載して祖国へ送っている。中には士官の自宅宛に届けられたものもある。またケルンで競売にかけられ、国庫の収入になったものもある」と述べている。この事実については証拠がたくさんある。

「ヴィレ・ノートル・ダムの一邸宅において、グロナウ公爵が見守る中、皿百四十六枚、エナメルスプーン二百三十六本、金時計三個、ワイン千五百本、鶏（にわとり）六十二羽、家鴨（あひる）三十二羽、多数の下着及び子供服が持ち去られた」

独帝の二人の皇子でさえ、私有財物をドイツに送ったと言われている。前に何度も引用したベルギー人医師はこう述べている。

「民家の掠奪は組織的に行われている。貨物自動車、家具運搬車その他種々の車輌が、まるで引っ越しの日のように一軒一軒回ってくる。家具、ピアノ、美術品、絵画など価値のあるものは全て持ち去られ、軍用列車でドイツに送られた」

「このことを顕著に示しているのが、独軍士官の死体から見つかった書簡である。この書簡はその妻が士官に宛てたものであるが、その中に『美麗な家具、確かに受け取りました。次は客間用のグランドピアノをお願いします』と書かれている」

商工会議所と強奪品

しかしこの強奪に関して、その犯行者個人を責めるのは無益である。掠奪の主犯は言うまでもなくドイツ政府である。そのことは『フランクフルター・ツァイトゥング』紙に掲載された次の記事からも明らかである。

「敵国領土で押収された様々な種類の戦利品は、その量が莫大で、今やその保管が日を追うごとに困難になってきている。これに関し全国商工会議所は陸軍大臣から、戦利品を一時的に保管できる倉庫や上屋についての詳細な調査を要請されている」

これについては、ハーグ条約第二十八条に次のように規定されていることを付記すれば足りるだろう。

「都市、その他の地域は突撃によって奪取された場合といえども、掠奪を禁止する」

また第五十三条にはこう規定されている。

「一地方を占領した軍は、国の所有に属する現金、基金及び有価証券のほかは、これを押収することができない」

六　組織的な放火

「独軍将校は放火及び私有財産の破壊を命じ、かつ称揚したこと、独軍当局は開戦前に放火作業の準備をしたこと、頻繁に行われた破壊行為は軍事的必要性によるものではなく、威嚇する手段の一つであったことが証明されている」——英国調査委員会第六事実認定

東京駐在ベルギー公使は、ドイツ陸軍はおそらく世界で唯一、放火部隊を有する軍隊である、と指摘している。独兵が所持する発火錠については度々言及されてきた。この発火錠に関する報告は多数あるが、ベルギー軍当局は、戦時法規に従って保護されるべき私有財産を破壊するために独軍が用い

た、発火錠以外の放火手段について次のように述べている。

「テルモンドでは、中隊が可燃液の貯蔵タンクを有し、空気帯を携帯する各兵が貯蔵タンクでこれに充塡し、家屋外側の木材に可燃液を注ぎ掛けた。別の兵が燐の調合物を塗った手袋をはめ、家屋の前を通るときにその手袋で液体を注がれた木材をこすった。これで家々に火がつき、街区全体がわずか十五分ほどで全く焼き払われた」

他の報告によれば、独兵は戸の穴よりセルロイド片を指し入れて放火したとある。

ハーグ条約第二十二条には、「敵財産の破壊は、戦争の必要上止むを得ない場合の外は特にこれを禁ずる」とある。

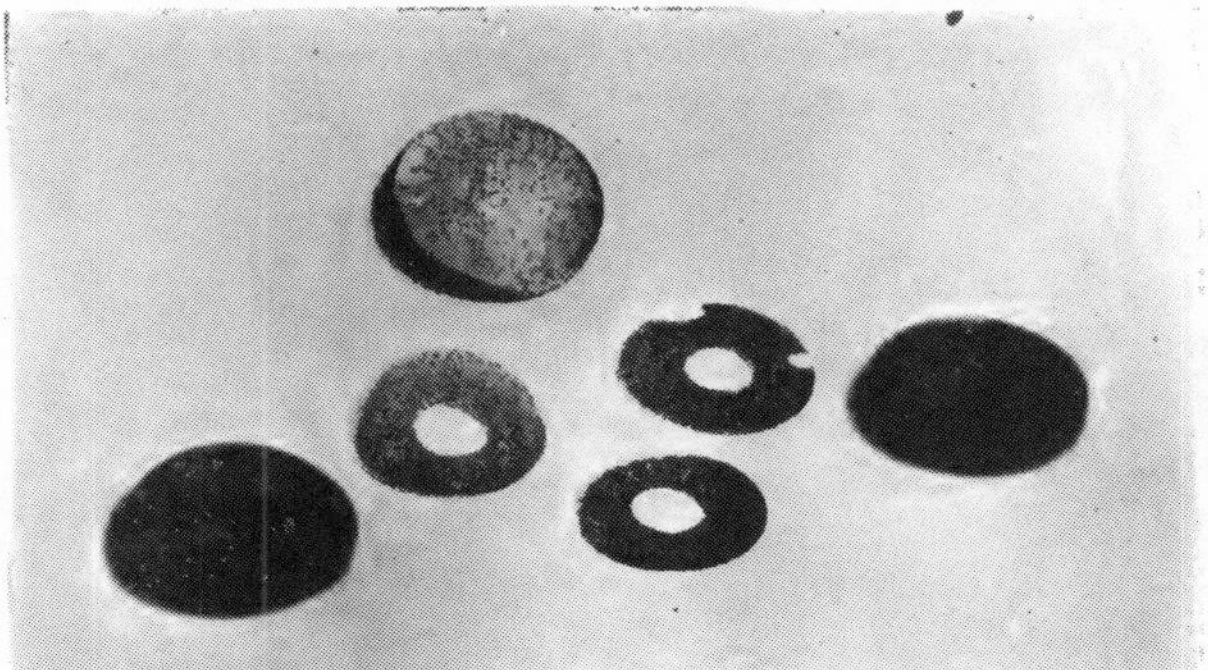

独兵の発火錠

第十二章　犯罪の事実とドイツの解釈

ドイツの自覚

ドイツ陸軍省と兵士の日記

前述の証拠が合理的であることは、⑴正式に構成されかつ重い責任をもつ調査委員会、⑵中立国の観察者、⑶独兵の日記等の確実な根拠、これらに基づいて印刷されているという事実によって明瞭である。これらの日記に関してはドイツ野戦要務令第七十五条に、独兵はこの種の記録を保存すべし、という規定がある。『ドイツ側の証拠に基づくドイツの犯罪』と題する著書は、これら独兵の日記の告白に基づいて編纂されたものであった。日記の抜粋がこの著書や外国の新聞に掲載され始めると、その曝露がもたらす効果に不安を覚えた独軍当局が第七十五条の規定を廃止したことは注目に値する。

大量の証言

以上に掲げた戦慄すべき事実は、印刷されたもののほんの一部に過ぎないことを読者はよく理解する必要がある。独兵の暴行に関する英国調査委員会の報告書には、七百から八百件の宣誓供述が含まれている。またベルギー政府が新たに公表した報告書（グレイ・ブック）の中には、ディナン、ルーヴェン、アンダンヌで起きた事例に関する宣誓供述だけで十一万二千語にもなる。私は英国調査委員会の報告書もグレイ・ブックも全部読んだわけではない。これを読む者は時として吐き気を催し、一刻も早くこんな汚らわしいものから逃れたいと思う段階がくる。

本書を書き始めたとき、私は嫌悪すべき蛮行が数多く行われていたことを被害者たちから直接聞いて知っていた。私は独軍がベルギーに侵入した当初、数週間オランダに滞在していたが、当時避難民は続々とオランダの厚意を頼ってきた。その後日本に行く前に、私は英国農民委員会を代表してフランスに赴き、独軍に追い払われた地域の農民たちに家畜、種子及び農具を送り、これらの被害者と談話を交えた。私は元より嫌悪すべき暴行が行われていることは知ってはいたが、これほど多く、これほど卑劣なものだとは思いもしなかった。一九〇一年、山東省でフォン・ファルケンハイン将軍麾下の独軍が行った非道を記憶する日本の読者は、同将軍が数週間前ドイツ陸軍の参謀総長から転じて今や東部戦線を指揮している事実を知れば、なるほどと思い当たるだろう。

異常な犯罪

私が示した様々な資料を自分で調べた読者は、必ずや驚愕することだろう。女性に対する暴行だけを取り上げてみよう。不幸にして、女性に対する暴行はほとんどの戦争につきものである。だが、独軍人全体の面目を失墜させるほど常習的かつ戦慄すべき内容であり、今日においてほとんど稀有のことである。単に道徳に反するだけではなく、あまりに異常で、人間のすることではない。

私はこの原稿の中で、極めて信憑性の高いいくつかの事例を削除した理由は、私が引用した公式文書にある多くの驚愕すべき話に目を通してしない読者には、とても信じることができないと思われたからである。婦人の乳房を切断する、糞尿で家具、楽器、ベッド、食器類を汚すなどの話の連続であり、私が挙げたのはほんの一例に過ぎない（諸調査委員会の報告書だけでなく、個人が著述したベルギー侵攻に関する書籍もこのような内容で溢れている。ギュスターヴ・ソムヴィルの『リエージュへの道』の二頁中にこのような背徳行為の確かな事例が二件あり、他にも同様の唾棄すべき事例がその本の至るところに出てくる）。

ただここに一言したいことは外でもない、文明を維持しようとするならば、このような卑劣な行為は厳重に処罰しなければならないということである。

英軍の道徳律

独軍の暴挙が特に不道徳なのは、残虐卑劣というだけではない。それが常習的に行われ、士官がしばしばこれに関与していたこと、そして一度たりとも暴行者を制止しようと努力した形跡が認められないことである。英軍が初めてフランスに出征する際、キッチナー卿は兵士たちに宛てて特別な手紙を書き、女性と関係を持たないこと、かつ酒におぼれないことが最重要の義務であると諭したこととは対照的である。英軍の礼儀正しい振る舞いに、フランスの地方の人々が敬意を表しているとの報道が続々フランスから入っている。残念なことに、戦前からドイツでは女性との関係についての意識がはなはだ低いという歴然たる証拠があった。私は数名の日本人教授から、ドイツの大学では学生の梅毒患者の比率が高いという話を聞いたことがある。

数千の英国人志願兵にとって、邪悪な軍国主義だけでなく、文明の進歩のために何としても打倒せねばならない低俗な道徳律と戦っているのだという思いほど、強く士気を鼓舞するものはない。

指揮官から部下へ

英軍の一指揮官が部下に書いた以下のメッセージを読んでほしい。その指揮官は国会議員にしてまた有名なスポーツ選手であり、かつドイツ学者である。

「金銭問題、男女関係、日常の倹約に関しては、我々は名誉、思慮分別、礼節、自制心を発揮しなければならない」

この指揮官の次の一節の精神は、本書で引用した独軍の宣言とは対照的である。

「敵に対する我々の行動という点において、この戦争を英国人とドイツ人の個人的な違いのように扱うのは我々にとって好ましくないことである」

「いや、それよりはるかに美しいものである。すなわち信念の戦いである。我々は自由のために戦い、地上から愛を消さぬために戦うのである」

「多くの事業家は部下に良き時間を約束をする。しかし私が諸君に約束するのは、困難、不快、負傷、そして死である。神聖な目的のために忠義を尽すことを望む」

英独の潜水艦の戦い方

英国海軍も英国陸軍と同様であった。数え切れないほどのエピソードがあるが、ここではある青年潜水艦艦長の事例を紹介することにする。同艦長は撃沈すべき軍需品輸送中のトルコ汽船を発見したが、汽船の船員が短艇を下ろす操作に習熟していないことに気づき、艦長は直ちに汽船に飛び乗り、短艇を降ろすのを手伝ったのである（汽船は陸地に近く、トルコの陸上砲台からいつ砲撃されてもおかしくない状況で行われた)。このような騎士道精神なきドイツ潜水艦艦長は、非武装の汽船ルシタニア号を撃沈し、一千百九十八人の女子供を含む非戦闘員を溺死させたのである。騎士道精神なきドイツ人は、その武勲を祝うために勲章を鋳造した。ケルンの『フォルクスツァイツング』紙が書いているように、ドイツ人はこれを「自慢の種」と考えているのである。

恐ろしい事実の概要

要約すると、総計五千人を下らないベルギー人非戦闘員(そのうち数百人は婦人、子供、老人、司祭)が死に追いやられたと推定される。また、軍事上の必要性なしに二万戸の家屋が焼き払われ、一万三千から一万四千の民間人がドイツに強制連行されたのである。

多数の女性(少なからぬ修道女を含む)への凌辱、財産の破壊、恥ずべき強盗などのあらゆる暴虐行為については、全体的な統計をここに挙げることは不可能である。しかし少なくとも五百カ所で放火、掠奪が発生し、ブラバン州だけでも一万六千戸以上の家屋で掠奪行為があったことが確認されている。

ベルギー、フランス、英国の報告書や、既に述べたその他の証拠、並びにオランダ、米国その他中立国の文書を詳細に調べたが、私は最近発表されたベルギー公文書の言葉を引用せざるを得ない。「正義を信ずるベルギー政府は、一連の事件に対し、人類の良心が判決を下すことを固く信じて待ち望んでいる」

ドイツ潜水艦に撃沈されたルシタニア号より収容された子供たちの死体（この客船は火器を搭載していなかった）。

厳冬に家なし。ベルギーでは軍事上の必要なしに独軍は家屋二万戸を焼いたと推算される。

健康で体力のあるベルギー人は、ドイツに強制連行された。

ドイツ皇族の告白

さらにもう一編付け加える。これはベルギー人が書いたものでも、連合国のどの国の人間が書いたものでもない。ドイツ人であるザクセン国王の弟、マックス殿下が書かれたものである。司祭でもあるマックス殿下は、スイス国チューリッヒのドイツ人高位聖職者フォン・マチス男爵に宛ててこう書かれている。

「ベルギーが蒙った仕打ちは、天に向かって復讐を絶叫せしめるものである」

ドイツに対する酷評

本書の冒頭で、私は誠実をもって執筆に努めたと述べた。私は、誰もが知っているように、戦争が穏やかなものではないことを知っている。米国南北戦争の一大将軍が述べたように、「戦争は地獄なり」なのである。だが日本を含む多くの国々は、戦争が起こると戦時法規及び慣例を遵守し、避けられない惨禍を軽減するよう細心の注意を払ってきた。

ドイツに対する強い非難は、同国がその宰相の言うように、ベルギーに対して「過ち」、すなわち文明に対する犯罪である「国際法違反」を犯してこの戦争を始めたということだけではない。

ドイツが強く非難される理由は、つい最近、一九〇七年に、最も明確かつ誤解なき言葉で戦時法規及び慣例に関する諸条項を規定したハーグ条約にドイツが調印したにも拘わらず、軍事的利益が得られると考えた場合には悉くこれらの法規及び慣例を無視したからである。

四十四カ国が厳粛に同意した「戦時法規及び慣例」に対するこのような侮辱的行為は、決して偶発的でも、局所的でも、一時的なものでもなかった。意図的な政策に基づく、執拗で一貫した行動だったのである。

さらなるドイツの自白

明白な事実は、ドイツは欧州戦争に突入すれば直ちに圧倒的な勝利を収められると信じていたこと、世界の良心が規定したようにではなく、ただ自分の好きなように戦争を行おうと決意していたことであった。

ドイツ参謀本部が発行した『陸戦の勃発』にはこう書かれている。「戦争を一気呵成に進めるには、武装した敵及びその防備に対する行動のみに限定されることはない。敵の有形無形の資源をも破壊するものでなければならない。生命及び財産に対する配慮など、人道的なことは一切考慮してはならない。冷徹に威圧手段を行使することは各指揮官の任務である」

ドイツの偉大な兵学者、フォン・クラウゼヴィッツ（一八一七～一八三一）のこのような文章も思い浮かべることができる。

「流血を惜しまず無慈悲に武力を行使する者は、敵が同じように行動しなければ早晩優位を占めることができる。戦争において野蛮な要素を否定しようとするのは、無益にして誤った傾向である」

また参謀本部のフォン・ハルトマン将軍（一八一七～一八七八）は『軍事上の要求と人道』と題する著書の中で、次のように書いている。

「戦争は過去よりも一層無謀に、一層無分別に、一層暴力的に、かつ一層冷酷に行われるようになるであろう」

「戦闘員が窮屈な合法性の束縛から完全に解放されるよう軍事上の努力を要す。暴力と熱情はあらゆる軍事的偉業の原動力である」

「戦争の目的を達するのに欠かせないあらゆる手段は使用して差し支えない。この普遍的に有効な原則により、指揮官独自の判断に設けられる制限は緩いものとなる」

「戦争の惨禍は、敵国に対して躊躇するには及ばない。暴虐は軍事的見地から必要な原則となる」

捕虜殺戮に関するビスマルクの主張

フォン・クラウゼヴィッツやフォン・ハルトマンのことを知らない人はたくさんいる。しかし、ビスマルクの主張を代表的ドイツ人の意見と見なすべきことは皆認めている。ビスマルクの愛弟子ブッシュの著書にあるビスマルクの言葉から引用する。

「十一月十七日、ガリバルディとその部下の義勇兵一万三千人が捕虜となったという風説が流れた。宰相はこう見ていたのである。『一万二千人のフランス人ですらない自由狙撃隊を捕虜とするのは、実に心外である。なぜこれを銃殺しなかったのか』」

「十二月一日、フォン・ゾルダーン中尉はドイツの戦勝を『我が軍は一千六百人余を捕虜とした。仏軍の損害合計は四千人から五千人と推定される』と述べた。その時ビスマルクは、『もしこれらの捕虜が全て死体だったなら、私は一層喜んだのだ。今多数の捕虜を抱えるのは我が軍にとって大きな不利益に外ならない』と発言している」

残虐行為に関するフォン・ヒンデンブルクの意見

以上のような意見は過去の人物の言葉だと言われるかもしれない。しかし現ドイツ陸軍参謀総長フォン・ヒンデンブルク元帥自身が、新聞記者に次のように語ったと報じられている。

「ウッチは飢餓に苦しんでいる。それは気の毒ではあるが、結構なことだ。戦争が無慈悲に進めば進むほど、それだけ戦争は早く終わるのである」

またフォン・ディスフルト将軍はハンブルクの新聞にこう寄稿したという。

「我が軍が敵を阻止し、撃破するために行うあらゆる行動は、如何なる性質のものであれ、勇敢かつ良い行いである。……全ての由緒ある記念碑、有名な絵画及び建築物等は、もしその破壊によってドイツの勝利が促進されるのであれば、何の問題もない。……戦争は戦争であり、厳しさをもって戦わなければならない。……我々を野蛮人と呼ぶ連中がいるが、何を言うか。我々は彼らとその誹謗を蔑視する。彼らがランスの大聖堂や同じ運命をたどったフランスの各寺院のことを語るのを止めさせよ。そんなものには興味はない。我が軍はただ戦勝を目的とするのみ。それ以外に何が重要だというのか」

『Das Internationale Landsgriegsrecht（国際陸戦法規）』は「各住民一人ひとりの行為によって全市がその罪を負う」と宣言、その処罰として「意図的な戦時法規違反」も成し得るという。『ケルニッシェ・ツァイトゥング』紙はそれは正当な行為であると認め、「罪を犯した者が見つからない場合は、罪のない者が罰を受けなければならない。犯罪の発生を防ぐためである。ベルギーにおける開戦第一日の惨状と流血の光景は、ベルギーの大都市を、乏しい兵力の占領部隊を攻撃しようとする誘惑から救った。ベルギーの首都が我が軍を歓迎すると想像する者がどこにいるだろうか」と述べている。

全ての恐るべき虐殺、暴行、残虐行為、焼き討ち、掠奪に関して、ドイツが非難されているのは各種の調査委員会や中立国の立証によるもののみではない。ドイツは自らの言葉によっても批判されているのである。ドイツはハーグ条約第二十二条「交戦者は害敵手段の選択につき、無制限の権利を有するものではない」という規定を意図的に無視したのである。

フランス元法相が言うように「この戦争における独軍の犯罪の特異性は、その動機や野蛮さそのものではなく、戦争における人道無視の合理性の追求という教義的取り組みにある」のである。

ドイツの文献から得た事実

先のフランス元法相の言葉は、『陸戦の勃発』と題するドイツ語文献中の次の数節によって完全に裏付けられている。

同書二十頁。「砲撃される街に婦人、子供、老人、傷病者がいれば、降伏が早まるという事実を利用しないのは愚の骨頂であろう」

四十八頁。「住民に、敵の兵力その他の秘密について知っていることを話すよう強制しなければならない。あらゆる国の多くの記者はこれを非難しているが、我々はそれをやらねばならないのである」

五十頁。「住民からの攻撃に対する防御を確保するため、あらゆる威圧の手段は躊躇なく用いること」

五十一頁。「手引き役を命じて信用できないことが露見した民間人は、犯罪者と認める。民間人はその土地を占領している国に服従する義務を負う。そのような犯罪者は死刑に処さなければならない」

五十四頁。「戦争が要求するあらゆる破壊は、それがどれだけ大きくても許容される」

ドイツ戦時財政の不思議
ドイツ人「百マルクの公債に応じて百マルクの受領書を手に入れた。この受領書で第二回の公債に応じ、第二の受領書をもらった。第三回の公債にはこの第二の受領書で応じることができた。あれ？　では私は前後三回すなわち三百マルクの出資をし、政府も三百マルクを得たことになるのかな？　それとも両者とも何も得ていないのかな？」

三　ベルギー占領

第十三章　占領中も続くベルギー人への虐待

一　窃盗、罰金、課税による強奪

ドイツ側の配慮

ドイツが明確な目的をもって絶えず戦時法規及び慣例を無視してきたことは、これまで見てきた通りである。しかしドイツの最も恥ずべき行為は、ベルギーに対する扱いが残忍を極めたことである。

ドイツはベルギーが何らドイツに対して違法行為をしていないのに、これに宣戦したことはよく認識しているのである。ドイツ外相フォン・ヤーゴー曰く、「ドイツには何もベルギーを非難する理由はありません。ベルギーの姿勢は常に正当でした」。ドイツは近代において、何の問題行動も起こしていない国に対する残忍な侵略行為ほど、恥ずべきことはないことをよく認識していたのだ。ドイツは国際法に背いただけでなく、人道に対する暴挙を犯したことも認識しているのである。

そのため、ドイツに残っている文明と正義の本能が、ベルギーで戦時法規を最も厳格に守り、ベルギーに与えている苦痛を抑えるためにあらゆる努力を払うよう、影響を与えるだろうと思われるかもしれない。

しかしこれまで見てきたように、事実はその逆であった。ドイツはベルギーで、きわめて残虐に戦争を指揮したのである。ドイツは臆面もなくベルギー国民に、「戦争とは残忍なものである」と言い放った。

占領の後

ベルギー占領後においてもドイツの残虐行為が続いていたことは、またしても忌まわしい事実である。親独のスウェーデン人著述家は、「今日ベルギー国内を訪れる者は、まずその心を閉ざさねばならない」と述べている。

ドイツが署名したハーグ条約の戦時規定では、「現品徴発及び課役は、占領軍の需要のためでなければこれを要求できない」とされている。しかしベルギー調査委員会の第十三次報告書によれば、「家畜、諸原料、製造装置、工作機械類は何の正当性もなくドイツに運び去られた」とある。

米国のロックフェラー財団の報告は明瞭である。

「侵略者は穀物、糧食、家畜、牛馬、綿花、羊毛、原料及び製品、銅製器具、工場の設備、車輛、ベンジン、その他兵器・軍需品の製造に必要な各種の物品を徴発した。軍隊が通過した小さな村落でも、大きな町でも、残っている家屋はみな掠奪された。持ち出せない家具は悉く破壊された。徴発や罰金の徴収、所有物の破壊など、その総額は莫大なものになる」

ドイツへの盗難家具の送付

盗んだ家具をドイツに送ることについては、その卑劣な行為や、最上級将校らが窃盗に関与していることが、何度も新聞に掲載されている。ここに、ベルギーからドイツまで家具を運搬する運送業者の広告をドイツの新聞から転載しておく。

馬泥棒

世界中の世論は馬泥棒を特に忌み嫌うものである。特にドイツの馬泥棒の記録は不名誉を極めている。ベルギーの大型馬車用の馬は世界的に有名であるが、同国にとってこの馬は富の源泉であった。ドイツだけでも毎年二千四百万フランの馬を購入している。ドイツがベルギーを占領するや、これらの馬、殊に種馬、繁殖用の雌馬と仔馬が、国境を越えて大量に持ち去られたのである。私の手許にある一九一五年二月二日付の『ドイッチェ・ターゲス・ツァイトゥング』紙には、「戦利品である二百六十頭の雄馬と五十四頭の雌馬」がドイツで売却されたことが書かれている。

機械、物品の押収

ドイツの施政がベルギーにもたらした産業の破壊について、ベルギー政府は公式に、一九一五年一月までに押収された機械の価値は、六百万円を超えると発表している。また押収された綿花、麻、ゴム、羊毛、ニッケル、銅、皮革の価格は一千万フランに上り、アントワープ商工会議所会頭が作成した押収品リストの合計額は六千五百万フランに上る。玩具類でさえ押収されている。時として証書が押収物

『ケルン・ガゼット』紙に掲載された、ベルギーからドイツへの運送を請け負う家具運搬業者の広告

の所有者に与えられることがある。これらの証書の価値がどれほどのものであったかは、材木商に出された次の通知書から判断することができる。

「貴殿が保有する、幅五～九センチメートル、長さ四メートル以上の松の梁、幅のある松の厚板は、貴殿名義のものであれ他人名義のものであれ全てドイツ陸軍省が押収・徴発し、まもなくドイツに輸出される。商品の保存、保証、保険は貴殿の責任で講じること。価格は今後ベルリンの陸軍省が決定する」

「ドイツの貿易を支援するために」

ベルギー調査委員会の報告書によると、「国内の至るところで、ドイツの貿易を支援するために原材料が運び去られたり留め置かれたりしている」という。ある皮なめし業者は、ドイツ当局がその所有する皮類を搬出するので、今後ベルリンに輸出するために毎月三百枚の皮を加工するよう命じられた。また中立国の記者は、物資の押収の話に加えて次のように述べている。

「国内にあった大量の物資が封鎖されたのである。つまり、販売させず、独軍の管理下に置くことが公式に命じられたのだ。言うまでもなく、ハーグ条約に真っ向から反するこの物資の輸出は、ベルギー国内のあらゆる商業を沈滞させ、ベルギーの貧困化を早めるに違いない。なぜなら、これらの徴発品の大部分に対して賠償金が支払われていないからだ。言い換えれば、戦後、世界で最も豊かな国の一つであったベルギーは最も貧しい国の一つとなり、ドイツと競合していたあらゆる分野の商工業が打撃を受けることになるのである」

罰金

ベルギーが困窮している原因は、物資や家畜の押収だけではない。罰金及び戦時税もまた困窮を促したのである。まず罰金について言えば、マリーヌの市長が大司教の不在をドイツ当局に報告し忘れたため、同市は罰金を科せられた。ブリュッセルでは、一警官がドイツ民政局員に鄭重に対応しなかったという理由で、罰金を科せられたのである。

戦時税

次に通常の戦時税について。スウェーデンの著名な著述家G・H・フォン・コッホはストックホルムで最も有名な新聞に寄稿した記事で、次のように述べている。

「これらの税はブリュッセルで二百万ポンド、アントワープでは二百五十万ポンド、クルトレーでは五十万ポンド、トゥルネイでは二百万ポンド、リエージュでは三百五十万ポンドであった」

「しかし、これらの税は総督が一九一四年十二月十日に課した戦時税に比べれば、まだましであった。ハーグ条約の規定に反して、この戦時税は毎月百六十万ポンド、一九一五年の一年間で一千九百二十万ポンドという巨額に達した」

「なお注意すべきは、この戦時税はベルギー国内の経費に充てられなかったことである（国内の経費のために特別税が課せられている）」

「この巨額の税金が戦時税に終止符を打つという期待から、ベルギー人は毎月税金を期限通りに支払うために大変な努力をした。しかしその期待はかなわなかった。一九一五年十一月十五日、衰退したベルギーは、さらに新たな決定がなされるまでは当分毎月二百万マルクを新たに拠出せよという布告が出され、今後はドイツ通貨で収めなければならなかった」

ドイツと「死」の舞踏

大砲の食べ物
「大砲の食べ物」という言葉を発明したのはドイツであった。この絵は独軍が戦死者の衣服を剝ぎ取り、四体を一束にして運搬するところである。

ブリュッセルで発行された官報の、その税に関する内容の一部を掲載する。

さらに十五日後の同官報において、ベルギーを退去した同国民に対して十倍の追徴金を課すという発表があった。

最近のオランダからの来電によれば、独軍はベルギー国立銀行の約三億円を押収、これはこれまでの徴収額を上回る額だという。

ここで、ハーグ条約に何と書かれているか見てみよう。

第五十条　人民に対しては、連帯の責任があると認めることができない個人の行為のために、金銭上その他の連座罰を科すことはできない。
第五十二条　現品徴発及び課役は、占領軍の需要のためでなければこれを要求できない。
第五十三条　一地方を占領した軍は、国の所有に属する現金、基金及び有価証券、貯蔵兵器、輸送材料、在庫品及び糧秣その他全て作戦行動に役立つ国有動産のほかは、これを押収することができない。

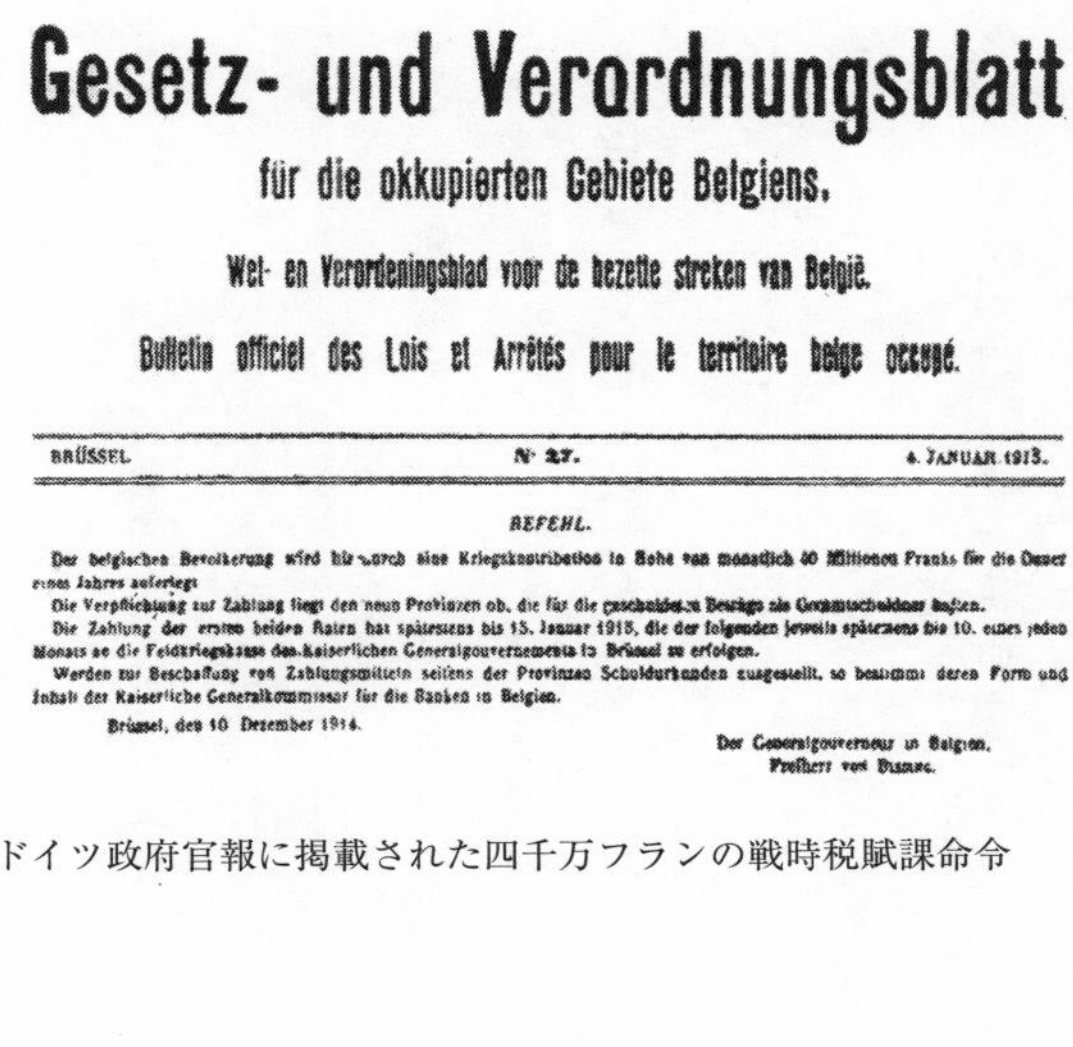
Gesetz- und Verordnungsblatt
für die okkupierten Gebiete Belgiens.
Wet- en Verordeningsblad voor de bezette streken van België.
Bulletin officiel des Lois et Arrêtés pour le territoire belge occupé.

BRÜSSEL　N° 27.　4. JANUAR 1915.

BEFEHL.

Der belgischen Bevölkerung wird hierdurch eine Kriegskontribution in Höhe von monatlich 40 Millionen Franks für die Dauer eines Jahres auferlegt.
Die Verpflichtung zur Zahlung liegt den neun Provinzen ob, die für die geschuldeten Beträge als Gesamtschuldner haften.
Die Zahlung der ersten beiden Raten hat spätestens bis 15. Januar 1915, die der folgenden jeweils spätestens bis 10. eines jeden Monats an die Feldkriegskasse des Kaiserlichen Generalgouvernements in Brüssel zu erfolgen.
Werden zur Beschaffung von Zahlungsmitteln seitens der Provinzen Schuldurkunden ausgestellt, so bestimmt deren Form und Inhalt der Kaiserliche Generalkommissar für die Banken in Belgien.

Brüssel, den 10. Dezember 1914.

Der Generalgouverneur in Belgien,
Freiherr von Bissing.

ドイツ政府官報に掲載された四千万フランの戦時税賦課命令

二　ベルギー人は如何に欠乏に苦しめられたか

荒廃の程度

ドイツの侵攻によって「ベルギーの約三分の一」が荒廃したと推定されている。米国のある聖職者は侵攻の年の十二月に『ニューヨーク・アウトルック』誌に寄稿し、その光景を次のように描写している。

「ベルギーの産業は壊滅的打撃を受けていない地域でも止まっている。一般市民に対しては列車を運転させず、電信電話は軍当局専用となり、郵便は機能していない。全てのベルギー人はオランダ国境を越えることを禁じられている。銀貨を見ることは極めてまれで、通貨は主として紙幣とニッケル硬貨のみが流通している」

慈善による食料の給与

独軍侵攻翌年の二月にドイツの新聞『フォルヴェルツ』は、ベルギー国民の四分の一は慈善によって食料を給与されていると報じている。ブリュッセルだけで窮民の数は二十五万人近くに上った。これらの人々の困苦の原因は、単に貧しいというだけの話ではない。

米国ロックフェラー財団の報告書には、次のように書かれている。

「ベルギーの問題を十分に理解するためには、活動的で健全な国民に突然の行動制限が課せられたことに注目する必要がある。このことが、ベルギーの状況を歴史上前例のないものにしているのである」

外国にいる難民

よく知られているように、五十万人以上のベルギー人（主に老人、婦人、子供）が今も外国、特にオランダと英国に難民として滞在している。私が英国を出た時、多くの友人が自分の家にベルギー人を居住させていた。最近、英国では数千の難民のために木造の家屋が建てられた。戦争が終わればこれらの人々は帰国し、家屋は撤去される予定である。昨年は少なくとも十万人のベルギー人が英国のもてなしを受けていた。

これらの難民は『ベルギー謝恩録』と題する書籍を発行した。英国やオランダで私人により食料、食器、衣類、金銭が提供された他、特に米国で巨額の義捐金がベルギー人救済のために集められたのである。ベルギー救済委員会と称する英国の一団体は、約二千万円の募金を集めた。ベルギー国内の窮状を軽減するために、英国から毎週約三十万円の寄付金が寄せられている。ニュージーランド国民は一人当たり二円五十銭の義捐金を送り、米国のある週刊新聞は小麦粉二万バレルを送った。日本でもまた十万円弱の募金が集まったのである。

一九一六年の中立国民の報告

すでに引用した中立国の著述家フォン・コッホの、ベルギーの現状に関する報告を紹介する。今年（一九一六年）初めに書かれたこの報告で、氏はフォン・ビッシング将軍の「我々（ドイツ人）は大きな経済的惨禍からベルギーを救った」という驚くべき宣言に注目している。

フォン・コッホはこう述べている。

「もし全体の状況がそれほど悲劇的でなければ、このようなナンセンスな話は笑わずにはいられないだろう。ハーグ条約によれば、ドイツはベルギーの一般国民を扶助する義務があることを忘れてはならない。ドイツはこの義務を放棄したため、ベルギー救済委員会は毎月約十万トンの小麦を運び込み、ベルギーと北部フランスは飢餓を免れたのである。ベルギーにとって極めて重大なこの問題で、ドイツが果たした唯一の役割は、国際法が侵略者に課している義務を他国に果たさせたことである」

無一文の百四十万人

フォン・コッホによると「全く無一文の者だけで、少なくとも全国人口の二割すなわち約百四十万人にも達している」という。

「食糧だけでなく衣服も援助されている。米国人の援助がなければ、ベルギー国民の大部分はただボロ布を纏うか裸のままでいなければならなかったのである。五十五万人分の衣服または布を直接供与することで、衣服の欠乏は避けることができた。救済委員会は最近、『民間から寄付を募り、この冬三百万人分の衣類を提供しなければならない』との声明を出している」

強制労働

フォン・コッホは、ベルギー人に労働を再開させようとするドイツの試みは大失敗だったと述べている。

「ハーグ条約の規定に反し、独軍がベルギーの労働者に兵器の製造を手伝わせるために暴力に訴えることをためらわなかったが、その試みは無効に終った。あらゆる圧力と脅しが功を奏しなかったために、何百万もの労働者がドイツに送られた。拒否に対する処罰として強制労働させるためである。リュットルで行われたのはその一例である」

「マリーヌの鉄道施設では、労働者が数日間作業現場に閉じ込められていたにも拘わらず、作業に服せず腕を組んで祖国を守ることを頑強に主張した。そのため同市は全国からの交通が断たれ、食糧の補給も途絶えてしまった」

処罰の宣告

フォン・コッホは、労働者その他住民が従わないために撤回せざるを得なかった強制的な措置に関する総督の布告を、いくつか読んだことがあると述べている。一九一五年六月十日に告示されたフォン・ヴェスタープ中将署名の布告には、次のように書かれている。

「愛国を口実としかつハーグ条約の規定を楯に、若干の工場は独軍に対して労役を拒絶した。これはベルギー国民がドイツの軍政を困難に陥れることを望んでいる証拠である。それ故に本職は、その職権に属する各手段によってこの種の試みを全て阻止することをここに宣言する」

これより先、労働者たちは独軍の塹壕用有刺鉄線を製造することを拒絶していた。

ベルギー婦人のストライキ

このことに関しては、婦人たちも男性と同様の態度を取った。

「ゲントの婦人たちはその労働が敵塹壕用砂袋の製造であることを知り、同地方の織物工場ではゼネストが発生した」

ドイツ統治下では鉄道従業員たちも、日当二ドルという高賃金を用意しても、その業務に復帰させることができなかった。

食料の没収

これに関しては、最近英国外務省が発表したいくつかの嘆かわしい事実を付け加えることができる。米国のベルギー救済委員会所属の汽船十一隻が、北海でドイツの敷設した機雷により沈没しているのだ。この海面に機雷を敷設しても、オランダの通商とベルギー救済船に被害を与えるだけである。そのため、救済活動に重大な支障を来している。英国外務省の発表によれば、独軍がベルギー産の食料品を没収しないという先般の約束を履行してさえいれば、ベルギー人の食料が不足することはなかったはずだという。救済担当者の話によれば、ドイツ側が住民を侵略者のために働かせる目的で、現地の救済委員会の活動を妨害しているとの報告が多数寄せられているという。

「通常の食事の三分の二」

米国救済委員会によると、ベルギー人への食料援助のために義捐金を募集したところ、世界各国から驚くべき額の義捐金が寄せられたという。しかし、連合国政府からの財政支援にこの多額の義捐金を加えても、救済委員会がベルギー人に提供できるのは「通常の食事の三分の二」程度に過ぎない。

米国救済委員会事務所前の餓えたベルギー人たち
原画の説明には「ベルギー人民に対し戦時税一億九千万円が課された」と記されている。

三百万人の貧困層

「ベルギーへの食料輸出が停止すれば、三、四週間以内に大規模な飢餓が発生するだろう」

これは、ロックフェラー財団の要請で救済事業視察のためにベルギーに派遣された著名な米国人、F・C・ウォルコットが綿密に考察した上での意見である。

「ベルギー七百万人の人口のうち三百万人は事実上貧困状態にあり、わずかな食料を手に入れるために毎日一時間から三時間も列に並ばなければならない。数千の人々が雪中もしくは雨に濡れ、寒さに耐えながら行列しているのを見た」

「ベルギー人口のほぼ二分の一が、このように毎日飢えを凌ぐために列に並ぶという境遇に追い込まれているのである。この貧困層の上の中産階級では困窮は部分的ではあるが、その彼らでさえプライドを捨て、毎日長い列に並んで食料の配給を受けなければならないのである」

一ポンド五十銭の犬肉

ベルギーをくまなく回ったオランダ人記者は、「至るところで大きな苦しみの」兆候を見つけたと言う。

「経済的にもベルギー国民の状態は極めて憐むべきものである。豆や米などの最も必要な食糧が全く不足している。ジャガイモが三カ月も手に入らないところもある。アントワープ郊外では、犬肉ですら一ポンド一シリングもする」

なおも強奪

しかもドイツは相変わらず金銭を絞り取るひどい政策を継続し、新たな徴発が絶えず行われている。

「ブリュッセルは民家に寝泊まりしている独軍将校の宿泊費と室内設備の改善のために、毎月二千四百ポンドの支出を余儀なくされている」

「その上独軍は、躊躇することなくベルギー人から最も露骨な方法で金を奪う。例えばドイツ当局に供給されたガスと電気の請求書が届くと、独側は市当局に規定料金の二割のみ支払う意向を伝えた」

農作物の行方

別の報告によると、ベルギー軍政長官は一九一五年の収穫物の全量を登録、接収、貯蔵するよう命じたようだ。馬に支払われる代金はその価値を下回っており、ときにはその三分の一にもなる。ブリュッセルの屠殺場だけで、独軍に毎週十八トンから二十トンの油脂を納めているが、その一方で大多数の市民は飢餓に瀕しているのである。また国内の油脂用穀物は全て徴発され、ある地方ではヒマワリの栽培が義務づけられている。

つい最近、プロイセン陸軍省は、「大量の食糧が占領地からドイツ国内に移送された」ことを認めている。

徴発また徴発

一九一五年九月、金属類の全般的な接収が行われ、銅とニッケルの硬貨は全て回収され、亜鉛硬貨で代用された。繊維製品は占領地全域で徴発された。綿花の取引は停止され、羊毛や麻布と同様在庫を申告しなければならない。小銃製造で使うクルミの木は全て伐採され、その他の樹木もまた驚くほどのペースで伐採されている（ハーグ条約第五十五条は「占領国は森林の管理者及び用益権者であるに過ぎない」と定めている）。

戦争前にあったセメントの在庫は全部徴発された。独軍は各鋳造所、化学工場、炭鉱、製材所、セメント工場、電機工場、自動車工場、鉄道工場、造船所等を使用している。

なおも救済事業に干渉

この説明を書き終える時点で、英国政府は米国の救済委員会に提供している食料輸送の支援措置を、フォン・ビッシング将軍の救済事情への干渉のため中止しなければならないかもしれないことを、もう一度表明せざるを得なくなった。ブリュッセル駐在の米国、スペイン及びオランダ公使に宛てた声明文の中で、英国政府はこう述べている。

「ドイツ当局は、救済事業に対するあらゆる干渉を避けると厳粛に約束した。しかし、彼らは命令を発して公然と、ベルギー人が提供された援助によって敵国のために働くことができるようにし、ベルギー人の労働によってベルギーの自由の回復を先延ばしにしようとしている」

ベルギー労働者に銃剣を

不満の多い政令には、労働者を強制的に就業場所に連行できるという規定がある。

「多数の労働者が銃剣を突きつけられて家から強制的に連れ出され、また労働者が不在の場合はその家族が人質として連れ去られた。一部の反抗的な労働者はドイツに送られ、健康に有害な状態かつ苛酷な刑罰の下で、森林の伐採や塹壕の掘削を強制された」（ハーグ条約第四十四条では「占領地の人民を強制して軍事行動に参加させることはできない」と規定されている）

三　民事裁判が如何に否定されてきたか

「相手当事国国民の権利及び訴権の消滅、停止または裁判上不受理を宣言することは、特に禁止する」
ハーグ条約第二十三条

独軍のベルギー侵攻を特徴づけた残忍さと不正義は、同国占領中も続いていた。その事実を、ブリュッセルの弁護士協会会長M・テオドールが一九一五年二月十七日にドイツ当局に提出した、気迫のこもった宣言文に見ることができる。同氏はまず「ベルギーの司法組織のあり方は全て法の原則に反している」と述べた後、「ベルギー国民は未だ発布されていない、従って聞いたことがない法律に違反したとされ、処罰されている」と述べている。氏はまた「被告人に対して弁護の自由がなく」、常に「諜報機関の人間」によって法廷に証拠が提出されていることを不満に思っている。予防的逮捕や長期監禁の不当性についても言及している。ハーグ条約の規定に背くブリュッセルの法廷は、まるで収容所のようだと憤慨している。

「これが戒厳令下での生活だとでも言うのだろうか。しかし我が軍隊は遠く離れており、もはや軍事行動区域には入っていない。ブリュッセルでは独軍を脅かすものは何もなく、市民は極めて平穏である」

この抗議は効果がなかったので、テオドールは全ベルギー国弁護士協会の代表者たちと共にドイツ当局に出頭し、未だかつてドイツ帝国に編入されたことのない人民の不当な扱いを改めて糾弾した。

「我々は併合されていない。敗北もしていない。我が軍隊は戦っている。我が軍旗は仏英露の軍旗と相並んで翻っている。我が国は存続している。ただ不幸に遭遇しただけなのだ」

この第二回の抗議から間もなく、米国記者はこう報じている。

「M・テオドールは逮捕の上ドイツに送られた。もし彼が生存しているとすれば、極めて悪意に満ちた諜報活動、軍法会議、秘密処刑等の制度に苦しめられた民を弁護したという罪で、獄中で苦しんでいるはずである。その卑劣さには、ダントン、マラー、ロベスピエールら革命戦士も憤怒するに違いない」

一九一五年八月五日にエディス・キャヴェル女史が逮捕された時、ベルギーはこのような状況にあった。

四　キャヴェル女史の処刑

「エディス・キャヴェルは我々の最も勇敢な兵士に、勇気について最高の教訓を授けてくれた」一九一五年十一月二日英国首相の言

キャヴェル女史、ブリュッセルへ

エディス・キャヴェルは、従軍看護婦の先駆けであるフローレンス・ナイチンゲールの生き様に感銘を受けた多くの少女の一人であった。彼女はブリュッセルで学校生活を送ったことがあり、それが縁で一九〇六年にブリュッセルの看護学校校長となった。

第一次世界大戦が始まった時、キャヴェルは英国で母と暮していた。彼女は強い義務感にかられ、故郷での安穏とした生活を捨て、ブリュッセルでの危険な任務に就くことを決意した。キャヴェルは「私が果たすべき義務はベルギーにあるのです」と語っている。

ドイツの将軍との最初の出会い

女史の死の状況について、私の記述の公正さを疑われないよう、「ニューヨーク・タイムズ」紙に掲載された、著名な米国の法律家が提供した情報にのみ基づいて説明する。

「独軍がブリュッセルに入ったとき、女史はフォン・ルトヴィッツ長官を訪問し、如何なる国旗の下で戦ったかを問わず、負傷した兵を救護するために部下の看護婦を提供した。女史とその部下が多数の負傷もしくは瀕死の状態にある独兵に施した献身的活動は、女史に対して寛大な配慮が得られるはずのものであった」

「しかしこのような献身的活動に従事して早々、女史は崇高な人道的動機によって、侵略者と敵対することを余儀なくされたのである。フォン・ルトヴィッツ長官は女史に対して、部下の看護婦が仏兵やベルギー兵を救護する際、患者に対して看守として行動することを誓約するよう要求した。しかしキャヴェル女史はこの不当な要求に対し、ただ次のように答えた。「私たちは負傷した兵士を救護しこれを快復させるために全力を尽す覚悟がありますが、患者たちの看守には決してなりません」

「またある時、家を失った婦人や子供のために、独軍の准将にその配慮を嘆願したところ、このプロイセンの紳士はニーチェの言葉を引用して女史にこう答えた。『同情は感情の浪費、道徳的健康に有害な寄食者である』と。女史は早くから侵略者の残酷な鉄の意志を感じていたが、ひるむことなく三つの病院の仕事を監督し、週に六回の看護の講義を行った」

事件を秘密する努力

キャヴェル女史に対する処置を秘密にするために、特別な努力がなされたことは特筆すべき事実である。ベルギー在留英国民の利益保護を行う米国公使館が女史の逮捕を知ったのは、女史が獄中に監禁されて一カ月を過ぎ、第二回の審問が開始された後だった。この間、ドイツ当局は秘密主義を貫き、照会を防ぐことに成功していた。

この問題が漸く米国公使の知るところとなるや、公使はその情報が事実かどうか、ドイツの総督に質問書を発した。しかしなおも沈黙の謀略は続き、公使が回答を得るまで二週間を要した。公使が得た回答には、キャヴェル女史の弁護士を用意するとの公使の申請が却下された、と書かれてあった。

ドイツ当局側が用意した弁護人（ベルギーに帰化したドイツ人）でさえ、キャヴェル女史の裁判前に女史と会うことはなかった。この弁護人が、キャヴェル女史に対する罪状について、米国公使館に通知するという約束を守らなかったことは重大視すべきである。また同弁護人が、公使館が裁判に館員を派遣すると裁判官の反感を買い被告に大きな不利益をもたらすという理由で、これに異議を唱えたことも看過できないことである。同弁護人は裁判の翌日まで米国公使館にその事実を知らせず、しかも裁判後に部外者よりこれを知らせているが、弁護人の職務に対する観念を問題視せざるを得ない。実際米国公使館は今日に至るまで、このドイツ法廷の手先から何の連絡も受けていないのである。

キャヴェル女史の犯罪

キャヴェル女史が起訴された犯罪は、自分が看護した仏軍、ベルギー軍の負傷兵の一部を捕虜としてドイツに連行させないためにオランダに逃亡させたというもので、女史も自分のしたことを率直に認めている。

ドイツ陸軍刑法はその第九十条で、「兵士を敵軍に嚮導すること」は死刑に処する可能性のある犯罪と規定している。たとえば敵兵が農家に逃げ込んだ時に、道をよく知る農夫が兵士を嚮導して敵軍に帰還させれば、農夫は銃殺に処せられるべき罪を犯したことになる。しかしキャヴェル女史がオランダに向かう途中の逃避者を助けたことを「嚮導」と見なすには、この法律を強引に解釈する必要があることは明らかである。さらに、女史が独軍の負傷兵に対して人道的に奉仕したこと、少しも私欲の念なく生涯を公的な奉仕に捧げたこと、しかも女性であること等に鑑み、女史の行為に対し厳しい評価ではなく当然寛大な評価を下すべきである。

女史が裁判官から逃避者を保護した理由について尋ねられたとき、そうしなければ独軍に射殺されていたと思うと答えた。そう考えた女史の行為には十分な正当性があった。その数カ月前（八月二十五日ナミュールにおいて）、独軍のフォン・ビューロー将軍は次の布告を出したのではなかったか。「四時までに全ての英仏兵を捕虜として引き渡せ。四時から各家屋を厳重に捜索する。発見された兵士は悉く射殺する」

弁護なき軍法会議

キャヴェル女史の犯罪は、いずれにせよ実際の戦闘区域でのことではなく、また裁判も戦闘区域でかけられたものでもないことを心に留めておく必要がある。

ブリュッセルは戦場から遠く離れている。国際法の下では、女史を軍法会議にかける理由がないことは明白である。米国の南北戦争では、同様の軍法委員会が反逆罪に問われた民間人をインディアナポリスで裁こうとしたが、合衆国最高裁はこの軍の専横行為を厳しく非難したのである。

判決を秘密にする計画

十月十一日、米国公使は始めて裁判の結審を聞き、総督（フォン・デル・ランケン男爵）と長官（フォン・ビッシング男爵）の「寛大さと人道の心」に訴える書簡を出した。同じく連絡を受けた軍政府政務局長は、米国公使に「裁判は終了しましたが、判決は下っておらず、おそらく一日か二日の遅延があるでしょう」と告げた。また米国公使館に対して、「この件の進展については詳細に報告する」との「確約」がなされた。その日の夕刻六時三十分に「判決はまだ下っていない」という通知が再びあった。しかしこれは、継続する秘密保持計画の一部に過ぎなかった。その日の夜、公使が非公式な情報源から得た情報によると、判決は既に五時に下され、同夜執行されることになっていたという。

慈悲を求める訴え

米国公使館書記官はすぐにフォン・デル・ランケン男爵の許に赴き、寛大な処置を懇願した。同書記官は公使からの、以下の感動的な書簡を携えていた。

「私は病床にあるため、直接貴下にお目にかかってお願いすることができませんが、今一度貴下の寛大な精神にお頼みします。この不幸な婦人を死よりお救いください。どうか彼女に憐憫の情をお示しください」

この書簡には、キャヴェル女史の代弁者として、その生涯にわたる人道的奉仕と、女史が裁判で示した、あえて自分が断罪される証言をするその「賞賛に値する率直さ」を訴える言葉が添えられていた。フォン・デル・ランケン男爵はこれに対し、「慈悲の歎願を受け入れる裁量権を持つのはフォン・ビッシング男爵です」と答えた。

フォン・ビッシング男爵に対してもまた病床にある米国公使が同様の哀願書を書き、書記官がこれを持参した。

米国公使館に対する軽侮

あえて言うべきことでもないはずだが、米国公使館は戦争が始まった時、ベルギー在留のドイツ人のために尽力した、であるから、キャヴェル女史に対する米国公使館の嘆願を受け入れてしかるべきではないか、ということがドイツ当局に示された。

開戦当時、何千人ものドイツ人は従軍のために急遽帰国した。米国公使館は一万人以上の婦人と子供に食料と金銭を提供し、無事にこれをドイツに帰還するのを見届けた。公使館によれば、キャヴェル女史に対する助命嘆願は、もしドイツ当局に謝意があるならば、ドイツ避難民に尽した米国公使館の厚意に報いてほしいという「唯一の要求」であった。しかもドイツが米国から受けた恩恵はこれだけではない。困窮するベルギー人に食料を提供するために米国人が莫大な寄付を行い、ドイツ人の肩から大きな負担を取り除いたのである。

米国公使の病気を気遣い、スペイン公使は個人としてまた公式にも、キャヴェル女史の助命に加勢した。これに対するフォン・ビッシング男爵の回答にコメントは不要であろう。男爵は「この事件に関しては公使の嘆願、その他如何なる申し出も拒絶せざるを得ません」と述べたのである。

刑の執行

キャヴェル女史は裁判の翌日午前二時、すなわち大罪の場合における文明国の慣例に反し、判決後九時間以内に処刑されたのである。

刑死者の遺体を私的に埋葬するために、刑務所から持ち出す許可を与えてほしいという米国公使館の最後の要請は、無情にも拒絶された。残忍さを示す如何なる証拠も表に出したくないかのようである。

死刑執行前にキャヴェル女史に面会を許された聖職者の証言によれば、女史は「恐怖も畏縮もなく、誰をも恨まず英雄のように死に就いた」とのことである。

ビッシング将軍の性格

フォン・ビッシング将軍のキャヴェル女史に対する処置の苛酷さについて、読者が説明を求めるなら、それは、同将軍はその行為により独軍のベルギー占領を強固なものにすると考えたという事実の中に見出される。フランダースやフランスでの連合国の最近の勝利の報道がベルギーに達し、民心が著しく沸騰していた。そのため、有名な英国婦人を苛酷に扱い、これを死刑に処するようなことは、将軍はよい見せしめになると考えたのである。フォン・ビッシング将軍が如何なる性格の人物か、我々は覚えておかなければならない。将軍は一九一四年八月二十九日、第七軍団のために次の一節を含む布告を発した人物である。

「これらの悪名高い行為を抑制して、人命を犠牲にするわけにはいかない。孤立した家屋も繁栄している村も、さらには町をも全滅させなければならないことは、元より遺憾なことではある。だからと言って、間違った感傷主義を引き起こすことがあってはならない。破壊し得る全てのものは、我が勇敢なる兵士の命よりも価値がない。そのことは自明であり、実際、本来は言及するまでもないことである」

「それを野蛮だという者は犯罪を犯したも同然である。厳粛に任務を遂行することは、高貴な〝ドイツ文化〟の命ずるところに従うということである。これに関しては、敵国の国民はただ我が軍隊から教訓を得るだけでよい」

ドイツ的行為と「非ドイツ的行為」

六カ月後、同将軍はドイツの捕虜収容所の司令官として、また別の布告を発している。

「日々行う指示の中で、最近私は捕虜に対して誤った同情心を起こさないよう国民に呼びかけた。諸士もまた、一層ドイツ人としての良識を発揮すべきである」

「この訓戒をまた繰り返さねばならないのか。私はそう思う。私に提出された報告書によれば、捕虜に各種の美味しいもの、特にチョコレートが再び与えられているとのことである。もしこの訓戒が依然として無視されるならば、この非ドイツ的行為を阻止するために見せしめの処罰を加えることになるだろう」

このフォン・ビッシング将軍のいう「非ドイツ的行為」が何かを把握できれば、真のドイツ的行為とは如何なるものか、少しは理解できるのではないだろうか。

四　歴史的事実

第十四章　ベルギー侵入、その動機の嘘
明らかになったドイツの真の目的

難攻不落と称されたフランス要塞

ドイツに関するもう一つの不名誉な事実をここに挙げよう。それはドイツがベルギーに侵入して条約と人道に対する暴挙を犯しただけでなく、ベルギーを経由してフランスを攻撃した動機を偽ったことである。第四章で述べたように、ドイツはフランスに対して軍事的優位を得るために、ベルギーを経由してフランスを攻撃したと言っている。しかし、もう一つの理由が存在していたのである。

東京のベルギー公使は、リエージュ及びナミュールのベルギー要塞を破壊した巨大な臼砲は、仏独国境の仏軍要塞をも同様に破壊することができた、と強く指摘している。独軍が遂にベルギーを経てフランスに侵入し、モーブージュの仏軍要塞に対して墺製臼砲を撃ち込んだとき、ベルギーの要塞と同様にフランスの要塞も忽ち粉砕されたことは皆記憶しているだろう。実際、フランスの要塞は一つとしてそれに対抗することはできなかった。ヴェルダンが二百日間防衛し続けられたのは要塞のおかげではなく、主として新たに築いた防塁のおかげである。

なぜドイツは英国と戦う危険を冒したのか

もう一つ重要な点がある。ドイツはもしベルギーへ侵入すれば、英国が参戦する可能性が高いこと

をよく理解していた。なぜドイツは英国をも敵とする一大危険を冒したのか。唯一考えられる説明は、ドイツがベルギーの占領を固く決意し、いったん占領すれば英国がそれを奪取するのは困難だと考えたからであろう。ドイツが戦争を開始したとき、奇襲攻撃、機動力、圧倒的な戦力、優れた装備により、一、二日の内にベルギーを通過し、数週間でパリに到達すると確信していたことを念頭に置く必要がある。

フランス政府が入手した一九一三年三月十九日付のドイツ陸軍秘密覚書には、「一挙に」敵を殲滅する、とのドイツの確信が表明されている。

ベルギーに対する新たな非難

これまで見てきたように、ドイツはベルギーに対して同国がその中立を厳正に維持しなかったという根拠なき非難を展開した。これらの非難は世論に大きな影響を与えるだろうと予期していたのである。しかし、この非難は大した影響を与えることができなかった。実際、一九一四年に公表された外交文書を精読した公平な人士は、ドイツの政治家やその広報担当者自身がドイツのベルギーに対する非難を重視していたとは、少しも信じることができないのである。

ベルギーが中立条約に違反したという理由で、同国をドイツに併合すると世界に主張することは不可能であることがすぐに分かった。そこで別の方法が取られた。

ドイツのいうベルギーの義務

ドイツはこう言い始めた。ベルギーがドイツと連合するのはベルギーの義務であり、ベルギーがその義務を実行するかを見届けるのがドイツの崇高な義務である、と。

ドイツ帝国議会の有名な議員ナウマン博士はこう書いている。

「たとえベルギーが誠実に中立の立場を維持するつもりであったとしても、この小国に世界史上のエポックとなる世界再編の外に踏みとどまる権利がいったいどれだけあるというのか」

有名なドイツの雑誌から一例として抜粋するが、このような議論はドイツ人の演説や著書等でよく見られたのである。

「高貴なドイツ主義は新領土を征服しなければならない。アントワープはハンブルクやブレーメンと対立するのではなく、ともにある。リエージュはヘッセン、ベルリン、スワーブの兵器廠とともにある。コッカリルはクルップとともにある。ベルギーとドイツの鉄、石炭、織物は何れも同一の管理の下にある。ムーズ川の要塞群の向こうにある、カレーからアントワープ、フランダース、リムブルフ及びブラバンは全てプロイセンである」

高官の語る真意

バイエルンの摂政も、ベルギーとオランダはドイツに統合されねばならない、ドイツはライン川の全ての河口を支配する必要があるからだ、と演説し、ドイツの政策の真意を漏らしている。ドイツ外相フォン・ヤーゴーでさえ、戦前、小国は「大国の軌道に引きずり込まれるか、消滅する運命にある」

カレーに進む道
ドイツ人はカレーに進軍する日があると信じて疑わなかったが、イーゼル川を越えることはできなかった。

と言明し、ベルギーの将来についてフランスの意向を探ろうと試みたのである。同氏はこの言明で生じた影響を見て、慌てて「これは個人的な意見を述べたに過ぎない」と弁解した。

秘密文書の発覚

ベルギーを占領する直接的手段については、仏政府が入手した一九一三年三月十九日付の「ドイツ陸軍強化に関する国策の目的と責務」と題する覚書を一読すべきである。

「次の欧州戦争では、小国は我々に従うか、征服される必要がある。ある情勢下では、小国の軍隊と要塞は迅速に制圧または無力化できる。ベルギーやオランダに対する場合である。小国に関する情勢は、我々にとって極めて重要な問題である」

「我々の目的は、初日から大きな優位性をもって攻勢に出ることである。そのためには大軍を集中させ、それに強力な国防軍が後続して、小国を我々に服従させるか、少なくとも無能力化させ、抵抗があった場合はこれを粉砕すべきである。短い期限付きの最後通牒を発した後すぐに侵攻すれば、十分正当化できるだろう」

以上はまさにドイツがベルギーで行ったことである。

「神聖な」侵入軍

一九一三年五月六日ベルリンからの来電で、フォン・モルトケ将軍の言葉が引用されている。

「侵略者の責任に関する全ての常套句を一掃しなければならない。戦争の必要が生じた場合には、あらゆる好機を捉えてこれを実行することが肝要である」

独軍がベルギーに侵入した当時の精神について、ビステル・フォン・シュトラング少佐は布告で何と述べたか。

「さて、不遜な小国民よ、君たちは愚かにも我が軍を妨げようとした。我が軍は、君たちが我が大事業を妨げない限り、君たちの安全を保障すると約束したのだ。しかし今やまた君たちは我が敵に加担している。君たちの行為は、聖地を守護する司祭に狼藉を働くようなものである。我が軍は壮大な使命により神聖化されているのだ」

少佐は独帝の意に雷同しただけである。一九〇五年に独帝が次のように述べた時、ドイツ人でこれを笑った者は誰もいなかった。

「我々は地の塩である。神は我々に世界を文明化に導くよう委ねられたのだ」

シェーネラー教授はこのことを一層明瞭に述べている。

「我々は単なる人間ではない。ドイツ人であるが故に人間を超越した存在である」

ベルギーの将来に関するドイツ人の考え

このように考えているのは皇帝、軍人と血の気の多い学者だけだろうと思い込む人もいるかもしれない。だが実際はそうではない。昨年、二通の請願書（宣言書）がドイツ宰相に提出された。一つは農民同盟、ドイツ農民組合、キリスト教農民組合、ドイツ製造業中央協会、ドイツ製造業同盟、ドイツ帝国中産階級協会という、多数の会員を有する六大組合より提出され、もう一つの文書は一万三千

「なぜ彼女は従わなかったのだろう。従っていればそれだけの得はあったのに」
ドイツの大学教授らは、ベルギーがドイツに抵抗せず屈服していたら、ベルギーは大いに利益が得られたであろう、と声明した。

人の署名を得て、「ドイツ思想の指導者たち」から発せられたものであるという。まず「ドイツ思想の指導者たち」から見てみよう。彼らはこう述べている。

「ベルギーについては、我々は政治上、軍事上及び経済上、確実にこれを管理しなければならない。ベルギーは我々に大幅な国力の増大をもたらす。特に強調したいのは、ベルギー住民の政治的影響力を認めないことである」

新たなチンギス・ハン

農民、工業従事者及び中産階級者の宣言もまた同様に、「ベルギーは併合されねばならない」と断言している。同宣言は、ベルギーとフランス北部の間で四千万トン以上の鉄鉱石を産出することに注目している。

「大小の資産を含む全ての経済力の源泉は、ドイツの手に移らねばならない」

ドイツの雑誌はさらにこれを詳しく説明している。

「軍隊の大規模な移動の時代には、我々は大規模な人口の移動に躊躇してはならない。独帝はアッシリアやバビロンの王が採用した移民政策を大規模に実行しなければならない。ベルギーのワロン人をフランス、アルジェリア、モロッコ、ブラジルに追い出し、ドイツ人でその国を占めてはどうか」

連合国側の戦果により、ドイツ宰相は最近併合計画を否認したようである。またドイツの多くの有力者が「併合のバカ騒ぎ」に反対して抗議したということである。しかしこのような他の「思想の指導者」でさえ、「東部国境の拡張と西部での十分な領土」を主張しているのである。

歴史上の類例

強大な軍事力を持つ民族が、小国との関係において、ドイツ人がその心に抱くような観念を持つことは世界史において珍しいことではない。ベルギーに対するドイツの態度と行動は、一部で指摘されているように、ギリシャを破滅に導いたミロス島に対する古代ギリシャの態度と行動に驚くほど類似している。トゥキディデスの、簡潔だが厳しい叙述の中にその話がある。

「アテネの使節はミロス元老院に、ミロスをアテネの支配下に置くことが我々の意図するところである、と冷静かつ慎重な言葉で説明した。

『我々は良識ある人間として、ミロス人がアテネに対して悪事を働いた、あるいはアテネがミロスに対して合法的な権利を有するなどと主張するものではない。しかしアテネはどの島の独立も望まない。それは他の島々に対して悪しき例となる。アテネの勢力は実際天下に敵なしである。これに服従するかまたは破滅か、ミロスの自由である』

ミロス人は精一杯の返答をした。

『アテネが善の法律を悉く無視して無事でいられるか。帝国は不滅ではない。暴政には人民の復讐が伴う』

アテネの使節『その責任は我々が負う。現下の問題はミロスが生と死のいずれを選ぶかである』

ミロス人は依然として中立を主張した。この願いは言うまでもなく拒絶された。だがミロス人は服従しようとしない。ミロス人はアテネの方が兵士も軍艦も練度も上であることを承知しているが、『それでも神々は無辜の民をお救いになるやもしれぬ』

それに対しアテネの使節は『我々はミロス人同様信心深い。心配無用』
ミロス人『我々と血縁の絆太きスパルタ人は名誉を重んずる。必ずや救いの手を差し伸べる』
アテネの使節『無論、スパルタの介入無きことは承知の上である』
ミロス人『何れにせよ我々は奴隷となるより戦いを選び、そこに一縷の望みを託す』
アテネの使節『真に遺憾である。戦争は悲惨な結末に向かうであろう』
アテネ人は見つけ次第ミロス人を殺戮し、女子供を悉く奴隷にした。その後アテネ人は入植者五百人を送り、ミロス島を我がものにした。その冬、アテネは一大艦隊を派遣してシチリア島を征服しようとした。これが、アテネを破滅に導いたシチリア大遠征である」
アテネの罪悪が詩人エウリピデスを生んだという人もいる。ミロス包囲戦の翌春、エウリピデスは「トロイアの女」を書き、堂々たる痛罵を加えた。

愚かなるかな、街を蹂躙するものよ
神殿を壊し、古の死者を葬る汚れなき
聖なる墳墓を荒らすものよ
己れもまた直ちに死せんのみ

さらにアイスキュロスの言葉を引用しよう。
「偉大なる者も、正義を不遜に軽んずれば、破滅から逃れられぬ」

ドイツの講和提議
英国、フランス、ロシアにその手を取られたドイツ「俺が今手に入れている物をくれるなら、君らを赦してやろう」

第十五章　妨害された英独友好の努力

海軍交渉にまつわる奇怪な噂

ドイツのためのせめてもの弁明

私としては、ドイツに代わって主張し得るあらゆる論拠を十分に考慮することなく、本書を完結させたくない。ドイツを弁護するために可能な唯一の主張は、次のようなものである。

「ドイツはベルギーの中立を侵害しないという条約、また外交当局者の厳粛な誓約を破って、嘆かわしい行動をとったことは事実である。さらにまたドイツがベルギーで卑劣な振る舞いをしたことも、疑いの余地がないほど証明されている。しかし、ドイツが仏露英と戦争せざるを得ない状況に追い込まれたことを示せば、多少の申し訳が立つかもしれない」

だが残念なことに、ここでドイツに対して最も不利な事実を突きつけることになる。この戦争を起こしたのはドイツである。

なぜ英国はヘルゴラント島を割譲したか

過去約三十年間の欧州外交史は、現戦争の起こる直前数週間の外交史と同様、英仏露がドイツに対して譲歩してきた長い物語である。

二十世紀に入り、英国はドイツと良好な関係を保つためにアフリカの境界問題を調停、ドイツに北海に浮かぶヘルゴラント島という貴重な財産を与えた。英国の諸新聞はこの割譲を激しく非難した。ヘルゴラント島はドイツ艦隊が安全を確保するための機雷敷設帯の先端に位置し、今やドイツにとって極めて価値あるものとなっている。

しかしこれは、英独友好のための確乎たる基盤を確保しようとした、英国の一連の試みの一つに過ぎない。

英国に挑んだ海軍拡張

開戦前に英国人が近代ドイツに対して不安を感じた政策は、ドイツ商業の発達でも、世界における偉大な地位、いわゆる「日の当たる場所」を求めたことでもないことは言うまでもないだろう。そのような不安の原因となったのは、ドイツ海軍の絶え間ない発展であった。

なぜそういうことが起きたのかは容易に理解できる。一九〇〇年のドイツ艦隊法によって最初の大拡張が行われた時、世界はこの新しい艦隊が英国に対するものでなければどの国に対して使うのか、と問うたのである。この問いはドイツ帝国議会でもなされた。これに対する公式の説明は、ドイツは「最強の海軍国」でさえ勝利を確信できないほどの海上の雄者にならなければならない、というものであった。一方、英国にはドイツに挑戦する気など毛頭なかったことは極めて明白である。

ドイツ海軍拡張の理由

しかし、最も誠実な英国人作家の一人（『ポール・モール・ガゼット』『デイリー・ニュース』の元主筆でラスキン伝等の著者エドワード・クック卿）は、ドイツ海軍の大規模かつ継続的な増強が、英国に対する挑戦であると世論は見なしていたと指摘している。

「ドイツの境界は大部分陸上にある。英国の境界は海上である。大英帝国は、シーリーの言葉を借りれば、『海を街道とする世界規模のヴェニス』である。食料供給の面では、ドイツはほぼ自給自足、つまり陸上で食料をまかなっている。英国は、海の支配権を失えばたちまち飢餓に陥る恐れがある」

「したがってエドワード・グレイ卿が一九〇九年に議会で述べたように、『ドイツにとっての海軍の重要性と、英国にとっての海軍の重要性は、その重要の程度において到底比較にならない。我が国にとっての海軍は、ドイツにとっての陸軍のようなものである。有力な海軍の有無は、彼らにとって我々と同じ死活の問題ではない』」

「ドイツはすでに世界最強の陸軍国である。もし、世界の一等海軍国である英国が、ドイツに匹敵する強大な陸軍を常設しようとしたならば、欧州諸国はどのように感じ、考えたであろうか、と問えば、ドイツの海軍拡張の野心が引き起こした当然の不安を理解できるだろう」

「もう一つ重要なことがある。ドイツの議会や言論界では、ドイツはその海運を守るために強大な海軍の必要性が叫ばれていたが、英国とドイツの海運を比較すれば、二十一に対してわずかに五程度に過ぎなかった」

英国第一回の提議

一八九九年英国は、他の大国が同一の方針を取るならば、その建艦計画を縮小すると提議した。当時軍備縮小を目的として露帝が招集した国際会議で、この英国の提案が承認された。しかしドイツの回答は、その翌年、海軍力をほぼ倍増させる計画を具体化した新艦隊法を採用する、というものであった。一九〇六年には、ドイツはこの計画に大型巡洋艦六隻を追加した。

英国第二回の提議

しかし露帝は第二回国際会議を招集、英国は同年模範を示すことを決意した。英国はその前年議会に提出した建艦計画を変更し、戦艦二割五分、潜水艦三割三分、駆逐艦六割を削減した。独帝はベルリン駐在の英国大使に、国際会議に軍縮が提案された場合は代表者を派遣しない旨を告げた。エドワード国王とホールデン卿は相次いでドイツに赴き、英国と共に軍備を制限するよう皇帝にできる限りの働きかけを試みたが、結果は芳しくなかった。

英国第三回、第四回の提議

その翌年、英国首相はなお露帝主催の国際会議を踏まえて、他国政府が同様の意向を示せば、英国はその海軍予算をさらに縮小すると宣言した。しかしドイツはこれに対して何の反応もなく、露帝の第二回国際会議は失敗に終わった。しかし第二回国際会議の席上で、英国はその海軍予算を予め各国が示し合うよう提案したことに留意してほしい。そのような行動が、最終的に国際間の海軍予算削減につながるかもしれない、と期待したのである。

一九〇七年、独帝は答礼としてエドワード国王を訪問することとなった。その時独帝は英国に対して親愛の情を示し、好意的に迎えられた。しかし、ドイツの次期海軍計画が戦艦四隻を急造するよう変更されたことに、英国の世論は驚きを隠せなかった。

英国第五回の提議

一九〇八年、エドワード国王は再びドイツを訪問し、交渉が再開された。しかし独帝は高慢にも、外国政府と海軍軍備について話し合うことは認められない、と明言した。そして独帝は先に戦争に踏み切るだろうと公言したのである。すでに述べたようにその建艦数を著しく縮小した英国も、自国防衛のため一九一〇年の海軍予算を増やさざるを得なかった。しかしこの予算を公表するに当り、英国政府はドイツとの間の誤解を防ぎ、疑念をなくすために、ベルリンとロンドン駐在の両国大使館付海軍武官に大型艦の実際の建造を時折視察させることを提議した。この提議もまたドイツに拒絶されたのである。

互いに建艦を制限することで両国衝突の危険性を減らそうとした英国の誠意ある試みを、ドイツがはねつけた状況についての説明は、とりあえずここまでとする。

第十六章　英国は如何にして二度戦争を防いだか

ドイツ、その野心を曝露す

モロッコにおけるドイツの侵略

ここで、この時期における英独両国の外交姿勢について述べよう。英国がドイツに北海のヘルゴラント島を割譲したことはすでに述べた。英国は欧州のより大きな平和のため一九〇四年以後数年間に、確乎たる決意でフランスとの間の未解決の懸案全てを解決した。特に、三百年前からモロッコに権益を有していた英国は、フランスにモロッコでの同国の優越権を承認した。地中海の二大国スペインとイタリアもまた、英国と同様モロッコに関してフランスと協定を結んだ。フォン・ビューロー公は、ドイツがモロッコに全く利害を有していないことを表明した。実際同地におけるドイツ商人の事業は、英仏に比べれば微々たるものであった。

しかし間もなく、旅順陥落と奉天会戦で、フランスの同盟国であるロシアの衰勢が明らかになった。ドイツはこの機を捉え、突如としてモロッコに大きな関心を示すようになった。独帝は二度にわたって好戦的な演説を行い、自らモロッコに赴き、モロッコの領土保全の主導者であると名乗りを上げたのである。

英国は戦争を防止

この時独帝が、ドイツに不都合な植民地政策を続けたフランス外相の辞職を要求したことで、不穏な事態となった。フランスは開戦の準備ができておらず、日本海海戦の結果、ついにロシアの加勢を得る望みも断たれた。フランスは余儀なく要求を承諾した。フランス外相は辞職し、ドイツはモロッコで同等の通商上の権利を得たのである。もし英国が、欧州の平和維持のため「フランスに対して不当な攻撃があった場合、英国の国民感情はフランスを支援しないことを許さない」旨をドイツに通告しなければ、おそらく独帝はこの時点でフランスに宣戦布告していただろう。

ドイツ、再び戦争を起こそうとする

その後、ドイツは再度モロッコへの足がかりを得ようと、自国商人が一人もいないアガディール港に砲艦を派遣するという芝居を演じてみせたのである。再び戦争の危機が訪れたが、その後、ドイツは遂にフランス領コンゴの一部を買い取ることになった。ゴムを豊富に産し、アフリカの他の独領との関係上特に価値のある貴重な土地である。

なおもドイツの威嚇

一九〇七年、英国は独仏との協定に続いて、ロシアとの間の未解決の問題を全て解決した。翌年ドイツは、オーストリアがベルリン条約に反してボスニア、ヘルツェゴビナを併合し、バルカン半島の政情を混乱させたことに対して、もしロシアが何らかの行動を起こせばドイツは同国に対し戦争をも

辞せず、と威嚇して憚らなかった。

三国協商から英国を引き離そうとするドイツの計略

その翌一九〇九年、フォン・ビューロー公の後任としてドイツの首相に就任したフォン・ベートマン・ホルヴェークは英国と協議を開いた。これは、一九一四年の出来事を考えると極めて重要な意味をもつものだった。ドイツ首相は英国に対してこのように伝えた。ドイツは海軍の協定で提案する用意があるが、この問題についての議論は、両国が相手国に対して、敵対的または侵略的な意図を持っていないという信頼に基づいた共通の認識の下でのみ有益に行われ得る、と。

英国はこの提案に誠実に対応したが、一つの明確な条件をつけていた。それは、英独の基本的合意が、英国と良好な関係にある他のどの国にとっても不利益にならないようにすることであった（もちろん、英国は日本以外のどの国とも条約を結んでおらず、良好な関係にあるだけであった）。エドワード・グレイ卿は、「古い友好関係を捨ててまで、新しい友好関係を築こうとは思わない」「英国がフランスやロシアと良好な関係を築いているからといって、ドイツと同様の関係を築けない理由はない」と述べている。

しかし、ドイツが望んでいるのは、英国と仏露との友好関係の断絶を伴うような協定であることは、すぐに明白になった。ドイツ首相の海軍に関する提案は、曖昧で不十分であり、しかも胡散臭いものであることも判明した。一九一八年までに建造される軍艦の総数を、少しも減らすことはなかった。ただ一九〇九年から一九一八年にかけての期間の初めに戦艦の数を減らし、それ以降に減らした分を増やすというものであった。

英国が承諾した場合に予想される結果

しかし、その代わりにドイツが何を望んでいるかは明らかであった。それは、(1)英独ともに侵略の意志を持たないこと、(2)いずれかの国が攻撃された場合、攻撃されなかった国は中立を保つこと、との宣言であった。最初の条件については、もちろん英国も異存はなかった。しかし、第二の条件は明らかに危険であった。ドイツはオーストリアと強固な同盟を結んでいた。もしドイツがロシアとの戦争を望んで、その密接な同盟国であるオーストリアを扇動してロシアを攻撃させ、さらに同盟国を支援しなければならないという理由でロシアを攻撃すれば、ロシアの同盟国であるフランスはロシアに加勢しなければならないだろう。こうして、ドイツとオーストリアの強大な軍事力がロシアを屈服させた後、それはフランスに向けられることになる。フランスも撃破され、中立国英国に対するフランスの友好は（ロシアと同様）失われるだろう。結局、勝利した中央同盟国が英国を攻撃することを妨げるものは何もなくなる。さらに、これは一九一四年に起こったことに照らして十分に注目に値することだが、ドイツが英国に提案したような協定では、ドイツがベルギー経由でフランスに侵攻しても英国はただ手を拱(こまね)いて傍観するしかないことになるのである。

ドイツ、さらに画策

英国に与えるものがあまりに少なく、要求するものがあまりに多いドイツの提案に対しては、拒否する以外に道はなかった。しかし英国は一九〇九年に、ドイツとの関係をより良好なものにしたいという意向をいくつか示し、特にドイツが重視するバグダッド鉄道など共通の利害のある問題について交渉する意思があることを表明している。

翌一九一〇年、ドイツ政府は海軍問題に関し極めて曖昧な提案をもって交渉を再開し、政治的合意に関し極めて明確な提案を再度行った。その後引き続いた交渉の経過で特に重要なのは次のようなことである。すなわち一方では、ドイツ政府は努めて海軍問題の協定が明確になることを避け、最後に帝国議会で首相の口から「如何なる制限も」「絶対に実行不可能である」と宣言したのである。

他方ドイツ政府は、同国がフランスまたはロシアに不当な攻撃を加えたとき、英国はドイツの自由にさせるような政治的合意を絶えず英国に迫ったのである。

英国の寛大な態度

この点に関してドイツが如何なる行動を取るかについては、すでに述べたアガディール事件で判明していた。英国がモロッコ問題でのフランスに対するドイツの高圧的な態度に口を挟むのは、これが二度目である。ドイツがフランスに戦争を仕掛けることは、英国政府がこれを傍観せずと宣言したことで回避されたのである。

しかし仏独が合意に至ると、エドワード・グレイ卿は再び英独関係の改善を強く望み、英国が不誠実な態度を取ることはないと述べた。

平和の使者は如何に迎えられたか

一九一二年、ドイツにとって特別な存在であるハルデン卿が、非公式全権として再び独帝の許へ派遣された。だがこの友好の使者を迎えたのは、海軍だけでなく陸軍も軍備大拡張を行うという帝国議会の可決であった。海軍の増強だけでも一千二百万ポンドの支出になる。

ドイツ政府がハルデン卿に要請したのは、予期したとおりの政治的合意を得ることであった。ハルデン卿は皇帝、首相、フォン・テルピッツ提督に向かい、ドイツが英国を警戒して海軍を増強し、英国もそれに対してドイツを警戒して海軍を増強するなら、友好のために厳粛な協定を結ぶことに何の意味があるのか、と尋ねた。ドイツ政府の答えは、基本的な政治的合意なしには海軍の協定は成立しない、というものであった。しかし同時にドイツ政府は、容認できる政治的合意が成立したからといって海軍増強計画の縮小はありえない、予定を遅らせることができるだけである、と通告した。そしてその海軍協定でさえも、文書にするのではなく、「一片の紙」すらもなく、口頭での合意にとどめるというのだ。

英国、英独協定を提案

政治的合意について、英国政府は次のように提案した。

「両国は当然ながら平和と友好の確立を望んでおり、英国はドイツに対する如何なる根拠のない攻撃も行わず、これに参加しないことを宣言する。ドイツへの攻撃は、現在英国が締結国となっている如何なる条約、協定、連合の対象でもなければその一部に含まれてもおらず、またそのような目的を持つものの締結国となることもない」

もちろん、ドイツも同様の協定に署名するよう求められたが、ドイツは同意しなかった。

英国に中立を確約させようとするドイツの試み

ロンドンのドイツ大使が最終的に述べたように、ドイツ政府が求めていたのは、ドイツが戦争する場合に英国が中立を保証することだったのである。すでに引用した理性的かつ権威ある作家の言葉を借りれば、ドイツは「三国協商が破棄され、英国がこの問題に干渉する懸念から解放されて、ドイツがフランス、ロシア、ベルギーを意のままに処置できる」ことを望んでいたのである。

エドワード・グレイ卿の率直さ

エドワード・グレイ卿は、ドイツ大使に対し胸襟を開いて語った。英国の政策に侵略的計画はないと彼は言った。フランスは、ドイツに対して攻撃的な行動をとれば、英国からの支援が得られないことをよく承知している。この点を具体化した協定に英国は参加する用意があった。しかし、何が起きても中立を保つ、とあらかじめ自らを拘束することはできない。ドイツ政府がフランスを破砕しようとする日が来るかもしれないからだ。もし英国があらかじめ局外に立つと自らを拘束していたら、フランスが破砕されたのを傍観した後で、独力で戦わなければならぬことになろう。ドイツは陸海軍を大幅に増強しており、近年フランスとロシアを戦争で威圧したことを忘れるわけにはいかない。

英国からドイツへのさらなる提案

この交渉が決裂した以上は、英国はドイツとの海軍協定締結を中止してもその言い訳は立つ。しかし英国政府は、英独両国がどちらも海軍力を増強しないという誠実な決断が、平和のための最善の保障となることを理解していた。そこで英国は、一九一二年と一九一三年に再び努力を重ねた。チャーチルは海軍予算を提出する際に、「ネービー・ホリデー」についての提案を行った。チャーチルは、一定の年限にドイツが軍艦を建造しないなら英国も建造しないことを発表した。

「この方法によれば、交渉も駆け引きもなく、どちらの国の主権的自由を少しも制限することなく、世界が耐えている緊張から解放されるだろう」

この提案は、「主権的自由の制限」という反対意見に応えるものであり、独帝が主張した点に留意していたことが分かるだろう。だが、この提案も他の全ての英国の提案と同様の運命に遭い、これまた拒否されたのである。平和の維持に対するドイツの態度がどれほど誠実かは、これでよくわかるのである。

しかし、ドイツとの直接交渉は不可能であることが判明した後も、エドワード・グレイ卿はドイツに対して友好的な態度を示し続けた。また、ロシア（協商国）がオーストリア（同盟国）と協定を結ぶのを見るのは喜ばしいことだとも述べている。このような政策が採用されれば、欧州平和にとって何よりの希望が得られると考えたからだ。氏はまた下院での演説（一九一一年三月十三日）でも次のように述べている。

「我々は、友好国が他の国と良好な関係になることを強く望んでいる。それを妬むことはなく却って満足を表するものである」

英国の妥当な態度

一九一四年の初夏、まさに戦争勃発の直前に、エドワード・グレイ卿はバグダッド鉄道に関してドイツと協定を結んだ。英国がドイツの合法的な勢力拡大を阻止する気がないことを、これほど明確に示すものはない。実際、英国の植民地行政官でありアフリカ開拓者の中で最も著名な人物(ハリー・ジョンストン卿)が、有力な評論誌で小アジアのドイツ化計画について概説している。

政治家と新聞記者のドイツ訪問

ドイツを訪れた親善の使者は、半官半民のハルデン卿だけではなかったという事実にも注目すべきである。ウィンストン・チャーチルもロイド・ジョージも、ドイツ上層部の誤解を解き、理解を深める目的でドイツを訪問している。また、ドイツとの友好関係を望む英国人の心からの願いをドイツ世論に伝えるために、新聞記者の一団がドイツに赴き、後にドイツ記者の一団を英国に呼び寄せた。英国で最も影響力のある三、四紙が、かなりの期間にわたってドイツ側の見解を紙上に掲載したことについても言及しておく必要があるだろう。ロンドンのある日刊紙は、何年か前から毎日ドイツ文の小さな記事を載せていたほどである。

要約すると次のようになる。英国は、これまで見てきたように、英仏、英露間に昔から存在する敵意を持ち続けることの愚かさを認識していた。英国は戦時にフランスやロシアを助ける義務を一切負わない協定があったので、英国はこれらの国の進歩と発展に協力していた。また、英国はこれらの国と健全な関係を維持していたために、世界が恩恵を受けることも少なくはなかった。英国は、ドイツに対してもこのような健全な状態以上のことを望むことはなかった。英国は、ドイツとの間の海軍拡張競争を公平に緩和するという現実的な方法によって、その望ましい状態を実現しようとした。この努力は長期間にわたって忍耐強く続けられたが、遂に失敗に終わったことは、これまで見てきたとおりである。

ドイツが軍備縮小に難色を示した理由

英独両国の軋轢の真の原因である海軍拡張の負担を軽減する友好的な提案を、なぜドイツは拒絶したのだろうか。なぜドイツは、海軍軍備の共同削減という容易な方法で英独間の難題を根本的に解決しようという申し出を悉く拒否しながら、独墺二国が仏露二国と戦争状態になった場合の英国の中立維持に執拗にこだわったのか。

理由は一つしかない。後の章を見れば疑う余地のないことであるが、長期間戦争の準備をしてきたドイツは、いよいよ戦争を企図したのである（ドイツ政府の目的は、海軍交渉に応ずると見せかけて英国を欺くことであったことは、ビロウ公の『ドイツ政治』の中で率直に認められている）。

シジフォス
シジフォスの神話では、シジフォスは石を山の上に押し上げることを命ぜられたが、この石は必ず転がり落ちる。このシジフォスの神話の如く、石は「ルスランド」（ロシア）から「ガリシア」（オーストリア）へと転がり落ちていった。

「木の葉の落ちる前に平和が到来す」
一九一五年春、独帝が軍に向けて行った演説から。だが、訪れたのは、死の平和であった。

第十七章　ドイツの大いなる目的

世界征服計画

一九一四年の戦争の後

　ドイツはなぜ戦争を企てたのか。英国で最も事情に通じかつ思慮深い歴史作家の一人であり、英国を代表する評論誌『クォータリー・レビュー』の主筆であるG・W・プロセロ博士に答えてもらおう。彼の著書『戦前のドイツの政策』にはこうある。

「英国の関心はあまりに長い間ドイツ海軍の拡張に集中していたため、過去十五年以上にわたってドイツの政策の根本目的を看破できなかった」

「バルカン半島に対する独墺の行動と、潜在するドイツの野心を探究し、これまで公表された一連の政治文書に示されるドイツ人の心理を解剖してみれば、近東と中東の支配がドイツの外交及びその膨大な軍備の本質的な目的であるという結論に達せざるを得ない」

「ベルリンの政治家たちは、それ以外のものを目指していなかった、という意味ではない。オランダとベルギーの最終的な支配、ドイツ語を話すスイスやその他の国々、あるいはその一部の併合、フランス、オランダ、ベルギーの植民地の征服、フランスとロシアの弱体化、英国の海上権力の打破と大英帝国の打倒は、言うまでもなく全て将来的目標として彼らの視野に入っていた。しかし、計算可能な時間内に達成できると思われたのは、オスマン帝国と、そのオスマン帝国とオーストリアの間にある土地の支配であった。彼らは一貫してこれを目指してきたのである。バルカン半島とトルコ帝国に対しては、必要とあらば戦争も辞さない構えを繰り返し見せていた」

「ひとたびこれらの領土の支配者となれば、ドイツはその経済発展に必要なものを手に入れ、広大な地域をドイツの企業と資本に開放し、ロシアを地中海から排除し、最大のライバルである英国に対してはその全版図中の最も脆弱な部分を脅かすこととなろう」

「その場合ロシアは間違いなく抵抗するだろうし、フランスの支援も受けるだろう。しかし、（自国向けに）ロシアの脅威について語ってはいたが、ベルリンは仏露の結合も恐れていなかった。英国政府の平和的な態度や、ドイツとの合意に向けたたゆまぬ努力（前章参照）が、このような考えを助長させたのは間違いない」

「仏露両国に対する攻撃は、真の目的を覆い隠す前段階に過ぎなかった。この真の目的は、フランスとロシアを打倒することなしには達成できない。しかしそれは結局のところ、目的を達成するための手段でしかない。仏露いずれかの国境を一度その手中に収めれば、ドイツの軍事的、経済的、財政的な勢力は、何の妨げもなく近東、中東に侵入することができる。この有利な立場から、著しく増大した資源と高まった威信をもって、世界帝国をめぐる最後の争奪戦を英国に対して挑むことができるのである」

ドイツが自ら考えるドイツ

以上述べたように、ドイツについて言えば「その過去における成功が、おそらく世界史上類を見ないほどの傲慢さをもたらした国民」であり、世界はそれを相手にしなければならない。
　ドイツ人著述家の驚くべき言葉は既に本書中にいくつか引用しているが、同様のものはなお多数列挙することができる。独帝の演説からさらに二つ抜粋しよう。
「もし神がドイツ国民の将来のために偉大な運命を用意しておらぬのならば、神は我々ドイツ人の祖国に対してこれほど多大な配慮をしてくださることはなかったであろう」（一九〇五年、タンジールにおいて）
「ドイツ国民は花崗岩の礎石である。神はこの礎石の上に世界文明を建設し、これを完成せんとするものである」（一九〇七年、ミュンスターにおいて）
　ドイツ哲学界の最も偉大な人々の言葉は、その文脈から引き剥がされ、これら思想家たちが否定したであろう俗世界に対する態度を容認するために用いられた。ドイツ人は、軍国主義と侵略思想に満ちた空気の中に生きているのである。ドイツでは、戦争に関する本が一年間に七百冊以上出版されたと言われている。ドイツの軍事著述家の中で最も広く読まれているフォン・ベルンハルディ将軍の著書には、「戦争と流血は隣人愛よりも偉大な功績をなす」という題辞が記されている。またトライチュケは、「およそ国際間の条約は心裡留保を伴って締結される。調停に委ねられるのは三流の重要度の問題だけである」と述べ、ベルンハルディは「世界の強国となるか、あるいは滅亡するかに一切を賭する」ことに賛意を表している。トライチュケはさらに、「小国の特徴は常に劣等であることである」と言う。
　ベルンハルディは、「我々が世界における地位を得たいのであれば、剣に頼らねばならない」と公

軍国主義に囚われた文明
ドイツ軍国主義著述家の中で最も著名なベルンハルディ将軍は、次のように述べている。
「武力は最上位の権力である。戦争による審判で決せられたことは全て正当である」

言する。ではその「世界における地位」とは何か。ヴォルトマンは『政治的人間学』の中で極めて明瞭にこれを説明している。「ドイツ民族はその主権内に全地球を抱擁する使命を担う」と。

この言葉を聞いた後で、『フランクフルター・ツァイトゥング』紙が「我々は人類のためにこの戦争を行う。この戦争は神の思し召しによるものである」と書いているのを見ても、少しも驚くことはないだろう。

次に挙げるのは、ハーグ会議のドイツ代表の一人、ミュンヘン大学教授フォン・ステンゲル男爵の意見である。

「我々ドイツ人は、全ての創造物中に〝ドイツ文化〟の栄冠を形作る。あらゆる点で他を凌駕する我々の支配に服従することが、全ての民族が繁栄するための唯一かつ最も確実な道である。我々の庇護の下ではあらゆる国際法は全く無用の長物となる。なぜなら、我々はその本性によって全ての人にそれぞれの権利を与えることができるからである」

第十八章　ドイツはなぜこの戦争を強行したのか

一九一三年中の出来事

「およそ老練の戦略家はその軍隊の能力とこれを指揮する自己の智略とを正確に打算し、歴史にその名を残そうと思うのは当然のことである」ビスマルクの言

異常な告白

前二章を通読した読者は、ドイツが仏露二国に対し戦争を企図していたことを疑う余地はないだろう。また現戦争の勃発後に発行されたドイツの公式文書を精読した人々は、そのことについて如何なる疑念も抱くことはない。

戦争勃発後に発表された文書は、これを二部に区分できる。次に掲げるのは第一部に属するもので、一九一三年の事項に関わるものである。

一九一三年三月十九日付のドイツ陸軍拡張に関する秘密覚書は、拡張準備に入って一カ月後にフランス政府の手に入ったもので、これは既に本書中で引用した。ここでは他の部分を抜粋する。

「我々の軍備はフランスの軍備と政策に対する返答であるということを、ドイツ国民の心に深く浸透させせなければならない。ドイツが攻勢的戦争を企てるのは敵の挑発に対抗するために止むを得ざる処置であるという考えを、国民に植え付けなければならない」

「疑念を招くことのないよう極めて慎重に行動せねばならない」

「強大な軍備の重圧のもとで、多大の犠牲と緊張した国際的関係等の圧迫を受けつつも、戦端を開く事は一種の救済と考えるよう万事処置していかねばならない」

この文書では、エジプト及びその他の地域で暴動を起こす準備をどのように進めるべきかについて、かなり詳しく述べられている。

一九一三年の戦雲

ドイツには、予備役の将校や兵士に動員態勢をとるよう通告する動員前準備措置がある。この通告は、一九一一年のアガディール危機の際にも発せられ、一九一三年四月にも発せられた。今となっては周知のように、英国が、フランスに対し根拠なき攻撃を仕掛けるものがあれば英国を敵に回さざるを得なくなる、と毅然とした態度を示したために、二回とも戦争を回避することができた。

イタリアの元首相ジョリッティの演説で明らかになったように、同年オーストリアはセルビア攻撃にイタリアを巻き込んで仲間に引き入れようとした。そしてこの攻撃はドイツが支援することになっていた。幸い、イタリアがこれを拒絶したために戦争にならなかったのである（コンスタンチノープル駐在のイタリア大使は、現戦争が始まる前にイタリア外交官名簿から削除された。大使は一九一三年、同地のドイツ大使から、ドイツは当時戦争を計画している旨の内談を受けたが、本国政府に報告するのを怠ったため）。

しかし戦争はあくまで企図されていたのである。一九一三年十一月、独帝はベルギー国王に対し、フランスとの戦争は「到底避けがたく、間近に迫っている」と告げた。

さていよいよ一九一四年となった。文書によって開示された、戦争開始に先立つ数日間の事情は実に印象的なものであるが、これは次章で述べる。

近東問題概説

しかし、この事情を知る前に、近東問題を詳しく研究したことのない極東の読者は、近東問題について理解しておかなければならないことがある。いわゆる近東問題とは、異民族に対するトルコ人の失政から生じた問題である。しかしそれは、バルカンに対するロシアとオーストリアの勢力争いに由来する問題でもあった。露土戦争の当時、露軍はコンスタンチノープルの回教寺院の尖塔が見えるまで接近していたのであるが、ロシアは英国に引き留められてコンスタンチノープルを占領しなかった。英国は後にそのことを間違いだったと認めている。

ロシアがコンスタンチノープルを欲したのは、第一に、かつてキリスト教の首都であったという感情的な理由からであり、第二に、ロシアがまだ所有していない不凍港が得られるからであった。それと同時にオーストリアはドイツを後ろ盾に、エーゲ海のサロニコス湾に到達しようとしていた。

オーストリアの形勢

しかもバルカンの将来のみならず、オーストリアの将来もまた近東問題に関わるところがある。フランツ・ヨーゼフ墺帝の治世の初期、プロイセンはその領土の大部分を奪い、ドイツ民族の間におけるオーストリアの名声を失墜せしめた。オーストリアと呼ばれた各種民族の雑然たる集合体が、老いた支配者の没後も存続すると信じる者はほとんどいなかった。ドイツは自らをオーストリアの後継者であると自認していた。オーストリアの人口の大部分はドイツ系、つまり非スラブ系である。すでにドイツとオーストリアは政治的・軍事的に最も緊密な同盟関係にあり、関税同盟の計画もまた進められていた。まずオーストリアを合併し、次にトルコを含むバルカン全体を併呑することで、ドイツは近東の覇権を握ろうとしていた。

トルコ及びバルカン諸国

トルコに対してドイツは、財政上及び軍事上の援助を施し、西欧とロシアを驚愕させたアルメニア人への残虐行為には目をつぶり、トルコ皇帝にへつらい、高官に賄賂を贈り、独帝をパレスチナでパレードさせる等の手段をもって、大きな影響力を確保してきた。独帝は頭にターバンを巻いてエルサレムに赴き、寺院に詣でては、アフリカ中部のわずかな黒人回教徒を臣民として有するに過ぎないのに、厚顔にも自ら「回教の庇護者」であると公言して憚らなかった。

トルコ以外のバルカン諸国に至っては、まず三国同盟の小国であったルーマニアの王位はホーエンツォレルン家によって占められ、ブルガリアの君主はハプスブルク家であり、ギリシャ王妃は独帝の皇妹である。セルビアの主要物産の唯一の市場はオーストリアであったため、セルビアは経済的にオーストリアの影響下にあった。

先にオーストリアがボスニア、ヘルツェゴビナを併合してさらに南方に領土を拡張した際、ドイツがもしこれにロシアが不服ならば開戦すると脅したことは、既に我々の知るところである。これと同じ威嚇により、オーストリアはセルビアに自国の行為を容認させた。

バルカン諸国間の紛争の結果、スラブ民族のセルビア（及びそれより小さな程度ではあるが、スラブ民族のモンテネグロ）が著しく領土を拡大したことに、オーストリアとドイツは当然ながら大きな懸念を抱いた。それは、セルビアはわずかにドナウ川を隔ててオーストリアに面し、モンテネグロはオーストリアとセルビア、そして海の間に位置しており、ドイツとオーストリアがコンスタンチノープルに向かって進出するにあたり、セルビアがその第一歩となるからである。

第十九章　欧州戦争前後の外交史

戦争を避けんとするエドワード・グレイ卿の苦心

セルビアへの最後通牒

一九一四年の初夏、ボスニアでオーストリア帝国の皇位継承者とその妃が、セルビアの一狂信者のために非業の死を遂げるに至った経緯は、まだ全て明らかになっていない。しかしこの暗殺事件の結果、セルビアに対する七月二十三日付の最後通牒が出された。これは独帝とウィーン駐在のドイツ大使が、その送付に先んじて内容を確認していた。この通牒により、セルビアは四十八時間以内に極めて屈辱的な十カ条の要求を承諾せざるを得なかった。エドワード・グレイ卿は、「いやしくも一独立国に対して、このような要求が発せられたなどということは未だかつて聞いたことがない」と述べ、回答時間の制限を撤回するよう強く求めた（七月二十四日）。

イタリアの著名な著述家であるグリエルモ・フェレーロは昨年出版された著作の中で、オーストリアの行動をロシアに対する意図的な挑発と呼んで憚らなかった。オーストリアのこの過酷な要求は、二週間前に欧州列国に対して穏健な要求をすると確約していたので、なおさら驚くべきものであると氏は言う。オーストリア、ドイツとともに三国同盟を構成するイタリアは、盟友が自国に「何らの通告も与えず、イタリア政府からの要求緩和に関する意見にも耳を貸さずに」セルビアに最後通牒を発したことに不満を表明した。

エドワード・グレイ卿の警告

ロシアは、ドイツに支援されたオーストリアの行動は戦争を引き起こすことを意図していると指摘した。エドワード・グレイ卿は、オーストリアによるセルビアへの攻撃はおそらくロシアの介入を意味し、それはフランスとドイツを巻き込むことになり、「そうなれば英国は傍観することができなくなる」と明言した。しかしドイツ側は、オーストリアの要求は「妥当にしてまた穏当」であると表明した。ここにおいてエドワード・グレイ卿は、独、仏、伊及び英の四カ国がウィーン及びペトログラードで平和のために行動を共にすべきだ、と主張した。

平和のために尽くしたロシアと英国

七月二十五日、ロシアはこの問題の処置を英仏独伊の四カ国の手に委ねたいとの意向を表明した。一方セルビアはエドワード・グレイ卿から、でき得る限り譲歩するよう求められていた（七月二十四日）。七月二十五日、セルビアはロシアの承認を得てオーストリアに驚くべき譲歩を行った。セルビアに対して英国と同じく助言を与えていたロシアは、セルビアの列強へ申し立てに先立ち、セルビアがオーストリアに首都の軍事的占有を与えることに同意する用意があった（七月二十五日）。しかしオーストリアの返答（七月二十五日）は、エドワード・グレイ卿が「これまで一国が受けた最大の屈辱」とさえ評したセルビアの譲歩を無視して公使を引き揚げ、セルビアが独立を失うことを示唆するものだった。

一九一五年秋のセルビア
セルビアは、ドイツ、オーストリア、ブルガリア、トルコの同盟軍に蹂躙され、ベルギーに対するものに匹敵する蛮行を加えられた。

ドイツ、平和の提議を妨害

この日ドイツは、エドワード・グレイ卿の「ドイツは交渉の基礎としてまずオーストリアに働きかけるべき」という提案を拒否した。またドイツは、「墺独両国はしばらく積極的行動を見合わせ、英独仏伊の四カ国で協議すべし」とのエドワード・グレイ卿の提議をも拒んだ（七月二十七、二十八日）。

七月二十七日、在ウィーン英国大使は各国大使との協議の結果、オーストリアは当初より戦争を意図していたとの結論に達したが、エドワード・グレイ卿は、「自分の提議が採用できぬというのであれば、ドイツが別の方法を提示するならば、仏伊及び英は従う用意がある」との意をドイツに伝えた（七月二十九日）。

ドイツ、英国の中立を求む

そして今や、ドイツの行動はいよいよ重要性を増してきた。ドイツ首相は皇帝と協議の後、戦争におけるドイツの立場を公然と語り、フランスの如何なる地域も併合せず、オランダの中立を尊重することを約束して、英国に中立を守らせようと努めた。しかし、フランスの植民地については何も語られなかった。フランスの植民地はその二カ所だけで地中海南岸の半分を占めている。ベルギーについてもドイツは何も語らなかった。

エドワード・グレイ卿、憤慨す

エドワード・グレイ卿は翌日、憤慨してこう答えた。彼は、「英独間の良好な関係を維持、継続する一つの方法は、欧州の平和を守るために絶えず協力し続けることである」と述べた。彼はさらにこう書いている。

「もし欧州の平和が維持され、この危機を無事乗り越えることができるならば、私はドイツが参加できる協定を推進し、その協定によって仏露英が、連合または単独を問わず、ドイツ及びその同盟国に対して何らの攻撃的、敵対的政策をとらないことをドイツに保証するよう努めたい。私は先のバルカン危機を通じ、このことを望み、できる限りそのための努力をしてきた。ただこの考えは、これまであまりにユートピア的で具体的な提案の対象にはなり得なかった。しかし、欧州が何世代にもわたって経験してきたどの危機よりもはるかに深刻な現在の危機が無事に過ぎ去れば、その後に起こるであろう安堵とその好反応によって、列強の間にこれまで以上の友好がもたらされるのではないか、と期待している」

平和に向けた英国のさらなる努力

七月三十日、オーストリアは総動員を発令した。同日、ロシアはオーストリアがセルビアの独立を侵害しないのであれば、自国の軍事的準備を一切中止すると提議した。この段階で、ドイツでは数日前から秘密裏に軍事的準備が進められていた。

ベルリン駐在英国大使はドイツに迫り、オーストリア、セルビア、ロシアに対して、独英仏伊が平和のために影響力を行使できる、エドワード・グレイ卿が提言したような何らかの方法を提案するよう求めた。翌日（七月三十一日）、エドワード・グレイ卿はさらに歩を進め、次のように言明した。

「もしドイツが、ドイツもオーストリアも共に欧州の平和を維持しようと努力していること、仏露がそれを拒否するのは不当であることを明確に示すような合理的提案を示してくれるなら、私はサンクトペテルブルクとパリでその提案を後押しする。そしてもし仏露がそれを受け容れないのならば、如何なる結果になろうとも私はその結果には一切関わるつもりはない。しかしドイツがそれをせず、フランスが参戦する事態になれば、我々も参戦することになるだろう」

ドイツ、ロシアに最後通牒を突きつけ事態が悪化

同日、ロシアとオーストリアは、ロシアは「形勢を見守る姿勢を堅持」し、オーストリアはセルビアにこれ以上進出しないことで合意した。その一方で、「列国は、セルビアがその君主権と独立を損なうことなく、如何にしてオーストリアに満足を与え得るかを検討する」ことになった。しかし、ドイツは突如として事態を急転せしめた。すなわち第一、十二時間以内の動員解除を要求した最後通牒をロシアに送り、第二、ベルギーの中立を尊重すべくフランスは直ちにこれを保証したが、ドイツはその保証を与えることを拒否したのである。

英国に中立を守らせようとするドイツのもう一つの試み

その翌八月一日、ドイツは英国に中立を守らせるために、さらに努力を試みた。ドイツがベルギーの中立を犯さず、フランス本国の如何なる地域も、またその植民地も併合しないことに同意すれば、英国は無条件で中立を守るか、と問うたのである。エドワード・グレイ卿は、第一に、このようなド

イツの約束が履行される保証はないこと、第二に、フランス（及びその同盟国ロシア）と英国の間に存在する友好関係を破壊しようとするドイツの意図があること、を理解していたに違いない。しかしエドワード・グレイ卿は、英国はそのような約束はできないと言うに留めた。

ドイツ、ロシアに宣戦布告、ベルギーに最後通牒

同日、ドイツはロシアに宣戦布告したと発表した。その際、ロシア外務大臣が行った言明は注目すべきものである。同大臣は、今回の危機を通じてロシアは如何なる提案も拒否しなかった、と「激昂して」述べた。

八月二日、ドイツはベルギーに最後通牒を送った。エドワード・グレイ卿はこの段階で、フランスがドイツに攻撃された場合、英国海軍は北海及び英仏海峡においてフランスを守ることを保証した。

イタリアの注目すべき態度

八月三日、三国同盟（独、墺、伊、ルーマニアで構成。仏露は二国間で同盟を結び、英国は仏露と協商の関係にある）の加盟国であるイタリアは、オーストリアが起こした戦争とそれに起因して起こり得る戦争は侵略的な意図を持つものであり、三国同盟の条項に抵触する、したがってイタリアは中立を維持する、と宣言した。七月二十八日の時点で、イタリアは平和のためなら英国と協力する用意があると表明していた。この危機を通じてイタリアの態度ほど、事の正否を示す重要なものはないだろう。

ドイツ最後の行動

八月四日、ドイツは英国を局外に立たせるための最後の試みを行った。ドイツは今回、戦争終結時にベルギーの領土を併合しないと約束することを申し出た。しかしドイツはこの時既にベルギーの国境内に侵入し、欧州列国との厳粛な約束を破っていたのであるから、どうしてドイツがその提案に他国が関心を示すと思えるのか、はなはだ理解に苦しむところである。

同日英国はドイツに対し、深夜までにベルギーへの侵攻をさらに進めたならば英国は宣戦を布告する、という最後通牒を発した。ベルリン駐在英国大使はこの最後通牒を提出する際、ドイツに善処するよう最終的な働きかけを行った。大使は、「結果として生じるであろう恐ろしい事態を考慮すれば、この最後の時点でドイツはその行動を再考する余地があるのでは」と問うた。しかしフォン・ヤーゴーは、「仮に二十四時間あるいはそれ以上の猶予が与えられても」と拒否し、遂に戦争は始まったのである。

非難されるべきドイツの態度

列国間を往復した文書はその数が膨大なためその大要のみを略記したが、これらの文書を調べる余裕のある読者は実際の事情を一層明瞭に知ることができる（本書に引用した主な文書は英国政府用に発行された『戦争に関する外交文書集』〔ロンドン、ワイマン社〕収録の英、仏、露、白、塞〔セルビア〕、独、墺の公文書類より採録。またイタリア議会に提出された公文書はイタリア政府発行の『外交文書』〔ロンドン、ホッダー・アンド・スタウトン社〕に収録）。事実は次の通りである。

一、ドイツはオーストリアを抑制するような措置は何一つ取らず（しかもオーストリア自身は、いよいよ危機が切迫した際やや弱気となり、全面戦争となれば自国が滅亡する恐れがあると認識し始めたにも拘わらず）、自身は固く開戦を決意していたこと。

二、フランスもロシアも英国も何ら挑発的態度を取っておらず、セルビア事件並びにドイツの同盟国に対する条約上の義務等は、単に開戦のために利用した口実に過ぎないこと。

三、ドイツが仏露と戦端を開いた後にも、ドイツはここ数年間英国に対しその真意を隠しおおせていると思い込み、何らかの約束またはその他の方法で中立を保つよう説得できると最後まで期待していたこと。

ドイツの公式見解

現在の戦争の真相を究めようとする将来の歴史家は、ドイツ外交文書の次の一節を見逃すことはないだろう。

「オーストリアがセルビアに対して戦争を仕掛ける行動を起こせばロシアが参戦する可能性があり、したがって我々も同盟国としての義務に従って参戦する可能性があることを、我々はよく理解していた。……我々はオーストリアがセルビアに対して全く自由に行動することを許した。……エドワード・グレイ卿はオーストリアとセルビア両国間の懸案を、彼を議長とする独仏伊三国大使の協議に託すことを提案した。我々は、そのような協議には参加できない旨を声明した」

開戦後、ドイツ首相が帝国議会で「我々の敵は戦争を選んだ」と公言すると、リープクネヒト博士は「違う、ドイツが選んだのだ」と叫んだ。

一九〇五年以来ドイツに定住していた英国人の現代語教授シオボールド・バトラーは最近英国に帰国したが、彼はこう書いている。

「私の知るところによると、独軍の指導者たちは一九一四年八月一日の少なくとも二週間前には戦争の最終準備を始めていた。青年将校や文官が多くを占める私のクラスでは、なぜか七月中旬ごろから学生が減っていった」

「我々に強いられた戦争」

ドイツで最も偉大で、不偏不党の言論人の一人がマクシミリアン・ハーデンである。少し前、氏の有名な雑誌『ツークンフト』は、一九一一年七月のモロッコのアガディール事件（独帝が「ドイツ臣民を保護」するとして一人のドイツ人もいない港に軍艦を派遣）から一九一四年七月（オーストリアがセルビアに宣戦布告し、ドイツがロシアに最後通牒を送る）までのドイツの外交政策に対して反論の余地のない批判を行ったため、当局によって発行を差し止められた。氏はその記事の中で、欧州戦争回避のための合意を得ようとする英国の度重なる努力に対して、「ベルリンから寒風を吹き送った」としてドイツ外務省を罵倒し、その往々口にする「我々に強いられた戦争」という慣用句を激しく攻撃した。ハーデンは、「オーストリアがドイツより五日後れて宣戦布告したこの戦争が、敵方から強いられたものだという首相の意見が、全世界のどこにも通用しないことを首相は今こそ悟らねばならぬ」と述べている（ドイツは八月一日にロシアに、八月三日にフランスに宣戦布告した。オーストリアがロシアに宣戦布告したのは八月六日である。セルビアに対しては、オーストリアは七月二十八日に宣戦布告していた)。

ドイツ首相に対するドイツ人の批判

エドワード・グレイ卿と駐ドイツ英国大使がベルリンにおいて、避けがたい事態を食い止めようと最後の最後まで努力したことについて、ハーデンはこう書いている。

「当時の状況はどうであったか。既にベルギーには世界で最も有力な陸軍国が入り込んでいた。この陸軍国は拳銃を携帯している。これで直に英国の心臓を狙うこともできるのである。グランヴィル、ソールズベリー、グラッドストン、あるいはランズダウン(全て英国の元大臣)などであったならば、このような状況に至れば必ず宣戦布告しただろう。ベルリンの英国公使はパスポートを要求した。パスポートを受け取った後、彼はこのような状況における一切の前例に反して、今一度平和のために首相に面会した。しかし無駄であった。興奮した首相は、中立という言葉や単なる紙切れ一枚のために、平和主義を徹底するドイツと戦争する決意を固めたとして英国を詰責(きっせき)し、大使は二十分もの間、口を差し挟むことができなかった。首相は、ベルギー国内の進軍はドイツにとって死活の問題であると主張したが、英国大使は、それは英国の名誉にかかわる、同じく死活の問題であると反論している」

エドワード・グレイ卿に対する公正な評価

ハーデンは、エドワード・グレイ卿の英国下院での歴史的演説を回想している。

「氏の当時の演説には誇大な表現は全くなかった。この度の戦争が筆舌に尽くしがたい惨憺たる光景と、悪魔の所業にも等しい残虐な行為の続出するものであることを、いち早く認識させるものであった。さまざまな情報源からわかっているように、その日、その夜、グレイは差し迫った惨劇の恐怖のもとで苦悶したのである。米国の新聞に最近掲載された氏の会見談を見ると、氏は今もなお、二十二カ月前に英国下院で行った演説のときと同じ苦悩の渦中にあることがよくわかるのである」

決定的な事実

ハーデンの言うエドワード・グレイ卿の会見談は注目すべきものであるが、それについては後ほどその抜粋を紹介する。

ここでは、ドイツが予め計画して戦争を強行したことをさらに裏付ける事実を示そう。それは、ドイツとオーストリアの軍事的準備が万全であり、あらゆる面で他国より優越していた一方で、ロシアが防衛体制の再編過程にあるのを、ドイツはよくわかっていたことである。七月二十八日、ベルリン駐在のオーストリア大使は同僚に、「ロシアは戦争を望んでいないし、戦争ができる状況でもない」と話していた。ベルギーでも軍再編が進行中であることは、世界の知るところであった。そして実際に、開戦一年目の結果が示すように、連合国はドイツやオーストリアが行っていた戦争準備は全くできていなかったのである。

第二十章　連合国は何のために戦うか

英国外相の明確な声明

「朕、正義と自由を守るという連合国共同の目的が遺憾なく達せられるまで戦争を継続する国王陛下の確乎たる御決意を改めて支持するものなり」戦争第三年の初めに当り、英国ジョージ国王に送られた大正天皇の御親電

法と正義と平和のために

前章でハーデンが述べた英国外相エドワード・グレイ卿（現子爵）の会見談の中で、連合国のいう「正義と自由」とは何を意味するのか、ということが語られている。

「西欧に対するプロイセンの横暴はわが国民にとって耐え難きものである。ベルギーやセルビアの平和に関する誓約は、守られなければならない。わが国や連合国が戦っているのは、欧州を傲慢な外交や戦争の危険から逃れしめ、また鞘の中の止むことなき剣の音から逃れしめ、絶え間なく語られる『輝ける甲冑』や『戦争の王侯』（独帝の演説中の用語）等の話から逃れしめるためである。我々は、自制心も慈悲心もない野蛮な勢力に対抗し、法と正義と平和のために、そして全世界の文明のために戦っているのである」

ドイツの戦争哲学との戦い

連合国の戦いの相手は、戦争が繰り返されることが望ましいという、いわゆるドイツの健全的思想でもある。

「ビスマルク率いるプロイセンは、兵備を整え堂々と三回の戦争を行っている（一八六四年にはデンマークと、一八六六年にはイタリアと、一八七〇年にはフランスと）。我々は欧州と世界全体の安定した平和を望んでいる。それは侵略的な戦争に対する防衛策となる」

「ドイツの戦争哲学は、安定した平和は精神の崩壊をもたらすという。すなわち人間の人格中にある英雄的資質の犠牲を意味するというのである（トライチュケ曰く、『戦争は最高の技能であり、戦争において初めて人民は真の人民となるのである』）。このような哲学が実際的勢力として存続することは、不安と懸念が永続することを意味し、軍備を増強し続けることを意味し、文化と人道の発展を阻害することを意味するのである」

国際的協議の必要性

連合国は、国家間の紛争を解決する手段として、戦争が望ましいとは考えていない。

「一国と一国とが相争うとき、その意見が合わず、今にも戦争に発展する恐れがある場合、かかる争議は戦争以外の手段によって解決されるべきものであると信ずる。両者の間に善意があり、少しも侵略的精神がないのであれば、かかる他の手段は常に功を奏するものである（一例を挙げれば、英国が米国に三千万円を支払った『アラバマ号事件』や、ハーグ法廷の運用で得られた経験などである）。我々は協議の効果を信ずる。我々は国際的協議を信頼するものである」

英国は如何にして戦争を回避しようとしたか

グレイ子爵は次に、この戦争が勃発する前に、ドイツに対して熱心に協議への参加を勧めたことを追想した。しかしこれまで見てきたように、ロシア、フランス、イタリアは悉くこれを承諾したが、独りドイツは同意しなかったのである。

「そこで私はドイツに対し、ドイツ自身が考え得る平和的解決方法を選択するよう要請した。しかし、ドイツはそのような提案に応じようとはしなかった。そこで露帝は、この争議の一切をハーグ法廷に付託することをドイツに提案した。しかし、これに対して何の返答もなかった。ここにおいて欧州は、チュートン民族の意志に服従するか、あるいは戦うか、ということになったのである」

「セルビアがオーストリアの要求の十分の九までを承諾したのであるから、目下の問題の解決は寧ろ容易であった。これらの問題は一週間もあれば解決でき、今日のこのような惨禍は全て避けることができたのだ。ロシアは、ドイツが協議を拒否し、ドイツの戦争準備がロシアよりはるかに先んじるまでは、総動員の命令を下さなかったのである」

しかし、ドイツはオーストリアが宣戦布告する四、五日前に、ロシアと戦争状態に入っていたのである。

協議手段と戦争手段との対比

英国外相は、協議による手段と戦争による手段とを今次の戦争の実際に照らして、その得失を対比するよう求めた。

「我々は戦争手段の惨害が歴然と示されたというべきだろう。商工業は乱れ、生存上の負担が著しく増大し、何百万人もの男子が殺戮され、不具にされ、盲目にされた。国と国との間の憎悪が深く、また激しくなった。文明の根幹そのものが危機にさらされている」

無用の平和談

この戦争がもたらした不正義は正されなければならない。

「連合国は、この戦争の不正義を正さず、放任するような平和を容認することはできない。もし誰かが講和の相談を持ちかけてくるならば、どのような平和を考えているのか、私に語るべきだと思う。ベルギーには全く罪はない、名状しがたい侵害を受けた、ベルギーを破滅させた者の手によってベルギーを復興させるべきだ、と考えているのであれば、その時こそこの人は講和について語ってもよいと思うのである。ただ抽象的な、この戦争の正義と罪悪との差異を区別しようとしない平和談判は、無意味とまではいかなくても、効能のないものである」

存在しない対独連合

続いてグレイ子爵は、ドイツが「包囲」されたとか、ドイツに対抗する「連合」が存在するという荒唐無稽な説について論じた。

「ドイツに対抗して他国が連合などしないことを、ドイツは知っていたのである。我が国はドイツに対し、如何なる状況においてもドイツに対する如何なる侵略策にも組みしないことを、公式かつ明確な形で保証した。ドイツは英国に対して無条件で中立を守ることを誓約するよう、ドイツが大陸で如何なる振る舞いをしようとも、英国はこれに干渉しないことを宣言するよう要求した。ドイツは常に、自国が戦争を強いられる可能性について言及していた。困ったことに、ドイツは自国が戦争を強いられる状況とはどのようなものか、何一つ示さなかった。ドイツは、如何なる戦争もみな他国から強いられたものだと主張する自由を残していた」

「ドイツは今、現在の戦争が他国より強いられたものだと主張している。戦争の当初、三国同盟の三番目の加入国であったイタリアが、このドイツの見解を断乎として拒絶したことは、今さら言うまでもないだろう。どの国もドイツを攻撃しようとは思っていなかった。他のどの国も、純粋に防衛的措置以上のものは取らなかった。ドイツの準備は攻撃のためのものであった。しかもそれは、大陸の何れの国よりも遥かに先んじていた」

「ベルギーは、ドイツ、フランス、そして欧州の平和を守る防波堤だった。この防波堤は、ドイツが開戦を決定するまで、如何なる方面からも危険にさらされることはなかった」

英国と各国との関係

すでに何度か記述した通り、近年における英国の調停は、他国との良好な関係を進め、争いを終わらせることを目的としていた。

「遡れば、英国は三国同盟に対しては協力的関係にあった。しかし、我々はフランスやロシアとは絶えず軋轢を重ねたのである。そのためしばしば戦争の危機に瀕した。それ故英国は初めにフランスに対し、次にロシアに対して協定を結ぼうと決心した。もちろんドイツや他の如何なる国に対しても何ら敵対的な意図を持つものではなく、恒久的な平和への道を切り開くために外ならなかった。つまり、ドイツが主張するような戦争の準備ではなかったのである。そんな主張を裏付ける真実のかけらもなく、我々はただ戦争を回避するために腐心していた。そしてドイツの政治家たちは、我々は戦争を避けようとしているのであって、戦争を起こそうとしているのではないことを知っていたはずである」

「我々ほど熱意をもって平和を望んでいる者はいない。しかも我々が望むのは、正義を貫く平和であり、世界の公法が再び尊重される平和である」

ドイツに対する英国の本音

英国は「統一された自由なドイツ」の滅亡を望んでいる、というドイツ首相の声明について。

「我々はそのような狂気に駆られたことはない。フォン・ベートマン・ホルヴェークは、我々がそのようなことを望んでいないことを知っている。およそ一国の人民を奴隷にして成果を上げることはできないし、外国による圧制と暴虐によって人民の魂を殺すことはできないことは、政治学の初歩に属する。歴史は既にこのことを十分に教えているのである。我々はそのような愚かで無益な道を歩むつもりはない。汎ドイツ主義が抱いていた世界帝国の夢がひとたび無に帰すとき、ドイツ国民は自国政府の統制を主張するに至る、と我々は確信している。ドイツの民主主義は、プロイセン軍国主義が戦争を企てたようなことはしないであろう」

将来に対する希望

グレイ子爵は次に、将来への希望を語った。

「この戦争のずっと以前から、私は国際条約や国民の権利、国家の独立に対する侵害を防止し、必要であれば罰するために団結して即座に行動する国家間の連盟を望んでいた。それに不平や要求を訴える国に対してはこう述べる。『その不平や要求を公平な法廷に提出しなさい。その主張を法律や公平な人間の審判に委ねなさい。もし法廷で勝訴すれば望むものが得られ、敗訴すれば望むものが得られない。もし戦争を起こそうとするならば、我々はその国を人道に対する敵と見なし、それ相応の処置をすることになる。追い剝ぎ、金庫破り、強盗、放火が各国で取り締まられているように、同様の犯罪を犯そうとする国家、より悪質な犯罪を犯そうとする国家は、国際間においても弾圧されるべきである』」

なぜ戦争を続行せねばならぬのか

英国外相は結論として、なぜ戦争を続行しなければならないかを説明した。「破滅の脅威」が世界を覆っているのである。

「独軍は人命の上に加えられるあらゆる方式の攻撃に対して、悉く門戸を開放したのである。毒ガスまたはそれに類するものを戦争に使用することは、ずっと前（ドイツ帝国建国よりもはるか以前）に我が国でその採用を進言されたことがあったが、あまりにも非人道的なのでその使用を排斥したのである。独軍は公海に機雷を敷設し、交戦国も中立国も等しく脅かしている。また独軍は無差別殺人兵器ツェッペリンを投入した。これが軍事的損害を与えるのは稀である。

法も人道も無視して、中立国や交戦国の船舶、乗員を共に沈める潜水艦も登場した。また侵入と焼き討ちと接収とをもって、罪のない国々に襲いかかった。ドイツの科学は、ただ人類の生命を奪うことに専念している。

　彼らは、これらのものを戦争で全面的に使用することを強く推し進めてきた。もし世界が戦争に反対して団結できないのなら、またもし戦争がなおも継続されねばならないのなら、科学の知識と発明が本来貢献すべき人類を破滅させるという結末を迎えるまで、各国は今後、発明し得るあらゆる破壊的手段を用いることでしか、自己を防衛することができないのである」

「ドイツ人は、自己の文化が著しく他に優越しているが故に、それを武力で世界に強制する権利を有する、と主張しているのである。この戦争で明らかにされた〝ドイツ文化〟の傑出した功績は、大規模な虐殺につながる殺戮の効率化であろうか」

「プロイセン当局が考えている平和とは、ドイツの優越した地位によって他国に押しつける鉄の平和に外ならない。自由な人間や自由な国家は、その野心に服従するくらいなら死を選ぶだろうし、その野心が打ち砕かれ放棄されるまでは現在の戦争に終わりはないのだということを、ドイツは未だ理解していないのである」

罪なき人々の虐殺
独帝は、潜水艦や飛行船による攻撃で死んだ子供たちの泣き声に悩まされる。香炉には「詭弁」と記されている。

英国の封鎖

グレイ子爵はドイツの潜水艦使用について語った。ドイツ首相は、「制海権を行使してドイツを飢餓に陥らせ服従させようとする英国の政策に対し、潜水艦は自衛上正当な手段である」と強硬に主張した。事実、ドイツ政府は一九一五年二月四日に潜水艦による英国海上封鎖の意向を表明した。しかし、英国に対する報復措置については三月十一日までこれを宣言していないのである。

すでに引用したハーデンは、英国がドイツ向けの貨物を阻止するのは人道に反するというドイツ側の主張を、公然と嘲笑している。言うまでもなく、ドイツは相当量の食糧を備蓄している。ドイツが英国海軍の行動に反発する真の理由は、そのために銅、ニッケル、ゴム、その他の戦略物資の輸入を妨げられているからである。

平和が訪れない理由

和平の提議については、グレイ子爵が最近議会で次のように述べている。

「英国がドイツに都合のよい和平条件を受け入れないから、英国が戦争を長引かせている張本人である、と言うのは幼稚である」

「今この瞬間、戦争を長引かせている何よりの原因は、ドイツ政府が国民に、ドイツは勝利を得たと言い、あるいは勝利を得ていなければ、来週には必ず勝利を得るだろう、そして連合国は敗北する、と言い続けていることだ。実際、連合国は敗北していないし、敗北する見込みもない。ドイツ政府がこの事実を認める時、初めて和平への第一歩が踏み出されるだろう」

「現在、平和のために提議する権利を有するものはフランス政府である。フランス首相はこう述べている。『今日、平和という言葉は神慮を冒すものである。この際に恒久的な平和を確乎たるものにする機会を逃したら、後の世代は何と言うだろう。平和は国際的な正義に基づくものでなければならない』」

ドイツに負うところ

米国の著名な代表的人物五百名が署名し、連合軍に寄せた慰問状にはこう書かれている。

「我々は、ドイツが近代文明という共通の財産に対して過去に果たした偉大な貢献を忘れてはいません。我々は皆ドイツに負うところがあるのを認めています。我々の多くはドイツの教育の恩恵を受けてきました。ドイツ人の血を引く者もいます。しかし、ドイツが多大な貢献をしてきた文明が繁栄し、またドイツ自身に最高の利益をもたらすためには、この戦争でドイツとオーストリアは敗北しなければなりません」

世界は何を決定しておくべきか

米国の元国務長官ルート上院議員はこう述べている。

「今度の戦争は、条約の遵守が締結国のいずれかの利益にならなくなったとき、条約は義務であるということをある大国が否定したことから起こったものである。この否定は、欧州の軍事力の半分によって支えられている。文明世界は国際法を単なる規範とするのか、それとも国家相互間の平和と秩序を脅かす違法行為に対し、刑法に準じて扱うものとするのかを決定しなければならない」

先見の明

初代独帝は一八七一年、帝国建国当時、「ドイツは自国の独立に敬意を払うよう求めるが、弱小国も強国も、他の全ての国家と民族の独立に対しても喜んで敬意を払う」と約束した。これに関して、ある著名な政治評論家は驚くべき先見の明をもって以下のように書いている。

「軍人が統治し、軍人が居住し、かつ古来未曾有の極度に訓練された武人であることを名誉とする一階層によって支配される大帝国は、平和の帝国となり得るのだろうか。なぜ平和の帝国となり得ると言えるのか。ドイツ人は教養豊かだからか。それは真であるが、教養が節度を保証するという証拠がどこにあるのか。ドイツの教授陣の教養を凌駕するものはない。しかしこれら教授陣は、ドイツの国民や軍人社会よりもその要求が厳しく、他国に対する敵意は甚だしく、支配者精神が徹底している」

「節度の保証はドイツの道徳心なのか。しかしその道徳心は、ドイツに併合されたくないと心から望んでいた国々をドイツが併合することを妨げなかったのである。国際問題においても個人的な問題と同じように、道徳の根幹は非利己的な点にある。そして、ドイツの見解を一旦受け入れたとしても、現にドイツは自国の利益のために百五十万の自由の人に不本意な服従を強いて抑留し、また抑留することを是としているのである（併合されたアルザス・ロレーヌの住民を指す）。

ドイツは、パリと同様フランス人の住むメスを領有し、フランス領となっていたアルザスを領有することは、ドイツの恒久的な安全にとって不可欠であると主張している。しかしこの領有により、かえってドイツは恒久的に危険にさらされることになる。フランスが、ドイツに対抗する同盟の相手を探すことを余儀なくされるからである。

今仮にドイツのいうところを認めよう。それでもなおドイツは、必要であれば自己の物質的利益のために、その正義感や高尚な道徳心を公然と捨てて憚らないだろう。このような説明を加えられた道徳心が、世界に対して如何なる保証ができるだろうか」

ドイツ皇室の習癖

ドイツによる宣戦布告から欧州が間一髪で逃れた歴史は、前の章で述べたとおりである。もし英国が宣戦布告を阻止せず、戦争が勃発していたら、かつてのヴィルヘルム皇帝の孫、現ヴィルヘルム皇帝は間違いなく、現在の戦争の場合と同じようにドイツに責任はないと主張しただろう。しかし、これはドイツ皇室の習癖である。ビスマルクの自伝的記録は、一八七〇年の普仏戦争はドイツには何の責任もないというドイツ初代皇帝の弁明が、真実ではなかったことを示している。ビスマルク自身、普仏戦争はビスマルクがフランス大使に関する電報に手を加えたために起きたものであることを認めている。これと同じく、プロイセンはデンマークとの戦争（一八六四年）も望んで引き起こしたものではない、などとはこの頃は言わなくなった。

オーストリアとの戦争（一八八六年）に関しても、当時ヴィルヘルム老帝は「プロイセンが戦争の苦しみと犠牲を免れるために全力を尽くした」と断言し、さらに「このことは我が国民にも、人の心中を見給う神にも知られている。しかし我々には選択の余地はない。我々は生存のために戦わざるを得ない」と述べている。

不幸にして、フォン・モルトケは（回顧録の中で）この偉大な主君に真っ向から反論している。「一八六六年の戦争が起きたのは、プロイセンの存立が脅かされたからでも、国民の声に従ったからでもない。この戦争はずっと以前から想定されていたものであり、慎重な計画の下に準備され、ドイツにおけるプロイセンの覇権確立を確乎たるものにするために、時の内閣が必要と認めたことにより起きたものであった」

ドイツの道徳的孤立

中立国の某記者はこう述べている。

「ドイツの今日における最大の弱点は、道徳的孤立である。ドイツは文明世界の審判によって有罪の宣告を受けている。ドイツが行使できる如何なる物理的な力も、この道徳的な力の欠落を補うことはできない」

ベルリンで自国の公式代表を務めたことのある別の中立国の人物は、こう語っている。「国家には明白な権利と義務があり、人類の未来はその権利と義務にかかっている。今こそ、そのことを誤解の余地のない言葉を用いて断言すべき時なのだ」と。

第二十一章　他の列国も非難されるべきか

公正な事実の検証

他の列強にも等しく罪はあるか

私は前章をもって本書を終えたかったのであるが、しかし戦争の責任については無視するわけにはいかない二、三の指摘が残っている。第一の指摘は、「様々な種類の国家的傲慢さや好戦的性質があるが、その中でドイツのものが最も激しくて際立っていたに過ぎない」というものである。これについては、「高度の情報源に通じている」著名な時事評論家がロンドンの『ウェストミンスター・ガゼット』紙で的確に答えている。

「我々は他の列国の無実を主張するものではないが、今次の戦争を他のどの戦争よりもはるかに残酷なものにしてしまった経緯について、ドイツには重大な責任がある。ドイツ軍国主義は単に敵軍を打破するだけではなく、住民全体をも恫喝、圧殺しようとする際限なき暴虐を必然的に導いた。ドイツの戦争に対する観念は、国家が攻撃されたり名誉が脅かされた際の最後の手段ではなく、政策の延長線上にあるものであるから、結局政治的な目的のための新たな、そして意図的な武力の行使につながった。故に全欧州は鉄拳の影に被われることになったのである。ビスマルクが行った、周到に計画した間隔で意図的にいくつもの戦争を仕掛けるようなことは、歴史上他に類を見ない」

「ビスマルクが作り出した現実の政治は、感情や道徳を除外して、単に兵力の軽重を問うに過ぎなかったのである。他の列国もこうした思想にとらわれた時代があったが、ドイツのように冷酷に体系化し、長年にもわたって追求した国はなかった。ドイツは、ビスマルクが登場するまでは存在しなかった軍国制度を作り上げた。何より憎むべきは、文明の自然な流れが平和と平和的通商に向かっていた時代に、ドイツは他の列国に自国と同じ道を歩ませようとしたことである」

ドイツの我が友人たち

ドイツ人の友人や知り合いのいない英国人はほとんどいない。全てのドイツ国民が戦争を望んでいたわけではないことはよく知っている。しかし、『ウェストミンスター』紙は「ドイツ国民は軍国主義体制に支配され、全く従順であったため、その軍国主義体制は一九一四年を戦争の好時期として選んだのである」と論じ、さらに時事評論家はこう続ける。

「一九一四年の外交史は、それ以前の出来事を解釈する上で非常に重要である。そこで我々は、和平へのあらゆる扉を閉ざし、熟慮・交渉の余地を頑なに拒否し、奇襲の時期を失うまいと躍起になる非情な体制が機能しているのを目の当たりにした。それは、ベルギー経由でフランスに侵攻し、フランスを制圧するというものであったが、この体制は終始軍事的冒険のみを考え政治的問題は全く考慮しなかった。ドイツ国民には何の罪もなかったかもしれないが、ドイツ以外の欧州の政府はこのような行動をとることはなかったし、ドイツ人以外の欧州の国民はこのような政府を生み出すことはなかったのである」

ドイツの恐露病とその原因

この評論家は、欧州の軍備過重な状態と神経過敏の様相についてはドイツに最大の責任があり、最終的に戦争となって破裂したのは特にドイツがその責任を負うべきである、と事実に基づいて主張している。しかし、ドイツ国民が隣邦の国民と同様の恐怖の念に駆られていたことは、評論家も認めている。恐露病がこの大災害に強く影響したことは間違いない。

「しかも、その根拠はドイツの対ロシア政策に見出されるべきである。二十年前にはドイツとロシアは何ら敵対しておらず、ロシアの西方侵略の兆候は少しも見られなかった。戦争が勃発したときでも、ロシアは西方国境において十分な防備を整えていなかったために多大な損害を蒙ったのである。しかしロシアが防衛力を強化し、陸軍を増強するつもりであったことは疑いない。なぜかというと、この十二年間ロシアはドイツの圧迫によって幾度も苦しめられてきたからである。ドイツは日露戦争の結果に乗じてロシアに最も不利な通商条約を強要した。またさらに、オーストリアを扇動してボスニア、ヘルツェゴビナを併合させた。ドイツはその「輝く鎧」をもってロシアを威圧したことを公然と誇っている。しかしドイツは、人口が自国の二倍以上あるロシアがこれらの侮辱に報いるためにその軍備を完成させれば、その結果は実に恐るべきものになることを察したのである。しかし、それは誰のせいであろうか」

フランスと英国

この評論家は至極率直に、もしドイツにモロッコ問題で主張することがあったとしても（第十六章）、フランスも英国も、ドイツがフランスにとったような態度をこの問題もしくは他の問題でドイツに対してとったことは未だかつてない、と述べている。

前章の内容から、英国側の意向をまとめると大要次の通りである。

「我々は平和を守るため極力努力しただけでなく、ドイツの植民地政策の野心を満足させる手段を見つけ、軍備を制限し国際紛争を解決するための正式な機関を設けようと努力したのである」

「これらの理由、及び長くなるので今ここでは述べられないその他の理由から、我々は、今次戦争の罪を交戦国間で公平に分配し、ドイツには若干多く負わせるという議論を断乎として否定する。我々は、今次戦争がプロイセン軍国主義と非軍国主義国との間の戦争であり、国際間における法と正義の否定と承認との間の戦争であるというのが深遠な真実であると信じる。そこに、まさに理念の衝突がある」

「英国の通商戦争」説などナンセンス

『ウェストミンスター』誌の評論家の話は暫くおくとして、この戦争の原因もしくは一因は、ドイツの通商に対する英国の嫉妬心にあった、という指摘がある。この点については欧州史の研究者である米国人B・E・シュミットの言葉を引用しよう。シュミットはドイツ出身で、戦争の原因を公平な精神で検証しようとした著書がある。

「戦争が始まった時、海軍が海を支配できればドイツの対外通商に大打撃を与えることができる、という考えが英国人の脳裡に浮かばなかった、というのは愚かである。しかし英国がこの大戦争に参加したのは利欲や嫉妬によって動かされたためである、というのはあまりにも安直である」「この戦争は英国の通商戦争である」という見方をするような商人根性をもった人物には、次に挙げる英国の損失を補うに足る金銭的利益とはどのようなものと考えるのか、これについて意見を述べてもらいたい。

一、すでに三年目を迎えている戦争にかかる直接的な費用、一日あたり五千万円の現金支出（これに戦争義捐金を加えることもできる。最初の二年間に集まった義捐金の総額は五億円を下らないと推定される）。
二、多数の戦病死者、傷痍軍人を出したことによる重くかつ回復し得ない損害、遺族、凱旋軍人に対する年金等の将来的な重い負担。
三、(a)ドイツ、オーストリア、トルコとの貿易途絶、(b)同国の潜在的顧客の死、困窮による莫大な損失。
四、船舶及び資産の破壊による損失、並びに生産的事業からの労働力の流出による損失。

ドイツの人口過剰論

「ドイツはその過剰人口を収容する土地を確保するために、開戦せざるを得なかった」という怪説は、多くの論客によって反駁されてきた。しかし、ドイツが人口過剰の苦痛を少しも感じていないことは、ここで述べておく必要があるだろう。ドイツからの移民の数はここ数年、着実に減少している。

一八八五年には十七万二千人がドイツを離れた。一八九二年には十一万六千人に減少し、一八九八年には二万三千人に減少した。一九一二年には一万八千人を下回った。

ドイツの人口は六千八百万人である。フランスの著名な経済学者イヴ・ギヨが指摘したように、ドイツの人口が九千万人に増加したとしても一平方キロメートルあたり百六十六人に過ぎない。一九一三年のベルギーの人口は一平方キロメートルあたり二百六十人を下らず、ドイツは移民を余儀なくされるほど特に人口過剰でもなかったのである。

英独の世界政策

今次の戦争は、ドイツが如何なる犠牲を払っても世界の覇権を握ろうという決意に基づいている。英国もまたドイツの如く世界支配の夢を抱いていた、と反論されるかもしれない。しかし、この点について可能な限り論じたとして、それが果たしてどれほどの影響を与えるだろうか。何も与えないのである。

ハリー・ジョンストン卿が最近書いているように、英国民の間には高尚な思想の潮流があり、世界制覇という危険な野望を抱くことを防いだのである。ましてやこの野心を擁護して、世界的戦争の渦中に身を投じたりするようなことは望まなかった。英国の領土は世界中至るところにある。しかし、この領土の歴史には三つの顕著な事実があり、それについては思慮深い研究者は何の疑いも差し挟まないのである。

一、これらの海外領土は世界支配を意識して獲得されたものではない。また決して帝国主義政策の産物でもない。これらの領土は、基本的には英国政府によって獲得されたものではないのである。冒険心旺盛な英国人たちが獲得した新天地を、責任が増えることを望まなかった政府に押し付けたようなものである。大英帝国について語られる最も真実に近いものは、「いつの間にかできあがっていた」ということである。

二、英国海外領土の歴史を研究する者なら誰もが疑う余地のない第二の点は、これらの植民地が当時獲得されるに至った状況は、二度と起こりえないということである。これらの植民地は主に、(a)英国の海運、海外貿易に対して有力な競争者がおらず、(b)英国の産業及び社会情勢が、特に知的で、勇敢にして機知に富んだ多くの人々が海外に生活拠点を移そうと熱望する状況を作り出し、(c)アフリカやオーストラリアのように、地球上の多くがまだ人口が希薄で認知された政府もなかった時代に獲得されたものである。

三、全ての研究者が同意する第三の点は、大英帝国の成立は、植民地化のある種の才能と、英国人に際立つ従属民族の管理能力に負うところが少なくないということである。この才能は間違いなく、企業家的思想、強烈な独立主義、統治能力、広い視野を持つ習慣、そして正しい道を歩んでいると信じた時は少しも批判や結果を恐れない姿勢に起因している。英国人は貿易の先駆者であって、ドイツ人は行商人である、とよく言われている。ドイツ人が植民地政策で成功しなかったのは、単に着手が遅かったからではない。植民地化に必要な資質や経験が不足していたことが大きな原因なのだ。ドイツが海外で成功を収めたのは、米国や英国の植民地の場合と同様の、自国とは別の行政理念の下で統治していたときである。

兵士を激励するベルギー国王(『イラストレーター・ロンドン・ニュース』より)

第二十二章　英国人はドイツ人を憎んでいたか

五百万の民衆が軍人となった理由

戦前の英国の対独感情

この章や他の章で戦争の原因をあらゆる角度から検証してきたが、その結果、我々は再び巻頭で論じた点に立ち戻ることとなった。

一、今次の戦争の原因は、ドイツがオーストリアと協同してロシアに意図的な挑発を行ったことにある（他にもドイツに不利な証拠がある。ドイツの著名な言論人フリードリヒ・ナウマンは、中央同盟国に戦争の責任があり、ドイツは防衛ではなく侵略のために戦争を起こした、と言明した。ルーマニアは、今日知られているように三国同盟の秘密の参加国であった。しかしイタリアと同じく同盟を脱退したルーマニアは、ドイツに宣戦布告するに当たり、中央同盟国は侵略という「唯一の目的」のために戦争している、と言明したのである。オーストリアの行動に関してはオーストリア外交官の次の文章〔一九一四年十二月十七日付『ガゼット・ド・ローザンヌ』紙〕が特に注目すべきものである。「ベルリンは、わが国の外交を扇動して〔セルビアに対して〕極端な政策に駆り立てた。それでも妥協が成立するように見えたその瞬間、ドイツはロシアに最後通牒を突きつけた。こうして我々は戦争を余儀なくされた。戦争直前の外交文書を公表していないのは我が国のみである。それを公表すると、ドイツの行動を曝露することになるからである」）。

二、英国はドイツのベルギー侵攻によって戦争に巻き込まれた。

ドイツがベルギーやフランスを攻撃するなどということは、普通の英国人には思いも寄らなかった。英国人は新聞紙上では、ドイツが好戦的であることはよく目にしたであろう。しかし、その事実は英国人の脳裡には深く染み込んではいなかった。それは本当かと強い関心を示すよりも、人事のように興味本位で見るか、残念なことだと言う程度だったのである。ドイツがフランスを二度も威嚇した時に、英国人はどれほど戦争に近づいていたのかということを知らなかった。英国人は英独間の海軍協定が何度も不調に終わったことを知らなかった。またもちろんドイツの戦争準備やスパイ組織については何も知らず、トルコや小アジアにおけるドイツの狙いがどのようなものであるかも理解していなかった。

英国人は、ロバーツ卿の戦備必要論を過剰にドイツを警戒したものと思っていたし、英海軍協会の加入者が少ないことからも、英国人が如何に同協会の杞憂するところに関心を寄せていなかったかがわかるのである。独帝が演説で語る「戦争王」「輝く鎧」「鉄拳」等の言葉を、英国人は真剣に受け止めることはなかった。

英国人はヴィルヘルム皇帝のことを、ウェストミンスター寺院での式典でスコットランドの衣装を着た従兄弟の素足を噛んだ、手に余る腕白小僧としか思っていなかった。英国人は、この腕白小僧が祖母のヴィクトリア女王から譴責（けんせき）された当時の逸話を想い起こした。ドイツの皇帝は、種々の理由で英国では評判がよくなかった。独帝は父であるフレデリック皇帝（英国で非常に尊敬されていた）には親不孝であり、母である聡明で有能な皇后（ヴィクトリア女王の娘でエドワード王の妹）にもあまり従順ではなかった。独帝は有能でかつ悪意はないとしても、気性が激しく落ち着きのない人物だと思われていた。しかし一般の英国人は、独帝の逸脱した言行やドイツ軍国主義者の傾向がどうであれ、ドイツ国民の大部分は平和的な国民であり、その科学的、社会的、経済的発展は大いに称賛に値するもので、多少なりとも模倣する価値があると考えていたのである。

ドイツをどう評価すべきか

ある記者が書いているように、ドイツには「正直で、明るく、心優しい人がたくさんいる」と信じられていた。ある有名な著述家はこの点を最も明瞭に説明している。

「私が初めてドイツを訪れたのは一八九〇年、最後の六回目の訪問は一九一三年であった。私の叔父の一人はドイツ婦人と結婚している。私はその滞在中車や徒歩で各地を回った。ホームステイをしたこともある。各方面の知識人と会い、手紙のやりとりをしたこともある。一九一一年九月には独仏国境で独軍将校と一緒にビールを飲み、一緒に泳いだこともあった。私は一九一三年まで、官立学校を通じてドイツ人の精神を変容させるという長期にわたる計画が、大きく進展しているとは思いもしなかったのである」

そして、多くの英国人が現在の状況をどれほど客観的に判断しているかは、ロンドンの週刊誌の次の抜粋から推し量ることができるだろう。

「ドイツ精神の変容は間違いなく進んでいる。しかし、その程度を判断することはできない。ドイツ人のこの戦争に対する見方が、どこまで犯罪を意図的に容認しているか、その犯罪の本質にどの程度無知なのか、あるいは犯罪についての不誠実で不完全な報告にどの程度依存しているのか、わからないからである」

しかし、ベルギーでの残虐行為に対してドイツ国内で抗議が行われなかったこと（ベルギーの惨状を告発し、ドイツの戦争責任を追及した『ジャキューズ』のドイツ人著者は、スイスに避難せざるを得なかった）、また、米国と敵対すると不利益を蒙ることが判明するまで、潜水艦の蛮行に反対する声が上がらなかったことは確かである。したがって、我々は一部のドイツ人の個人的な性格を推測するのではなく、これらの事実に基づいてドイツを判断し、対抗しなければならないのである。

ベルギー侵攻の衝撃

フランスへの攻撃の前段階としてベルギーに侵攻したことで、一般の英国人が受けた衝撃は大きかった。ドイツが独仏国境を経由してフランスに侵攻するような戦争であれば、英国人はそこまでの不安は感じなかったであろう。H・G・ウェルズは新作小説の中でこう述べている。

「もしドイツが西方国境での戦争のみに徹し、ベルギーに手を出さなければ、英国に開戦論者はほとんど存在しなかっただろう」

一八七〇年の普仏戦争には英国は参加しなかった。「しかしベルギーへの攻撃は全英国民を一致団結させ、戦争へと燃え上がらせた」

ドイツは如何にして英軍部隊をもたらしたか

英本国及び植民地において志願兵が大勢募集に応じたのは、ドイツに対する嫉妬心ではなく、実に燃えたぎる憤怒の念によるものであった。ドイツは戦争中狂乱した行動に出て、多くの英国人志願兵、そして四千人を下らない米国人志願兵を生み出したのである。圧倒的な数と装備によって無抵抗のベルギー人を虐殺するだけでは飽き足らず、ベルギーにおいてあらゆる暴挙を犯した。これらの暴挙とルーヴェンの破壊に続いて起こったのが、潜水艦による惨劇、毒ガス、そしてツェッペリンによる無差別殺戮である（潜水艦の犠牲になったのは二千四百四十二人、ツェッペリンの爆弾による死者は四百二十六人、負傷者は九百三十八人であった。これらは皆非戦闘員であり、女子供も含まれる）。キャヴェル女史（ある人物曰く「英国にとって一個軍団の価値あり」）の処刑は、フライアット船長の銃殺に続いて起こった（詳細は270頁参照）。そして捕虜収容所での残虐行為はずっと続いていた。英軍部隊をもたらしたのはドイツである。この戦争がドイツに対する侵略的性格をもつものであったならば、五百万人もの英国人志願兵が名乗りを上げることはなかった。それは間違いないことである（戦争が終わったらドイツの貿易を停止させよという経済上の原理を全然無視した乱暴な話もあるが、これは悪しき隣人であるドイツの力を制限するには、ドイツの通商を不能にすればよいという考えに触発されたものである）。

英国の一軍曹は次のように報告している。

私は仏軍の下士官らと何回か次のような話をした。

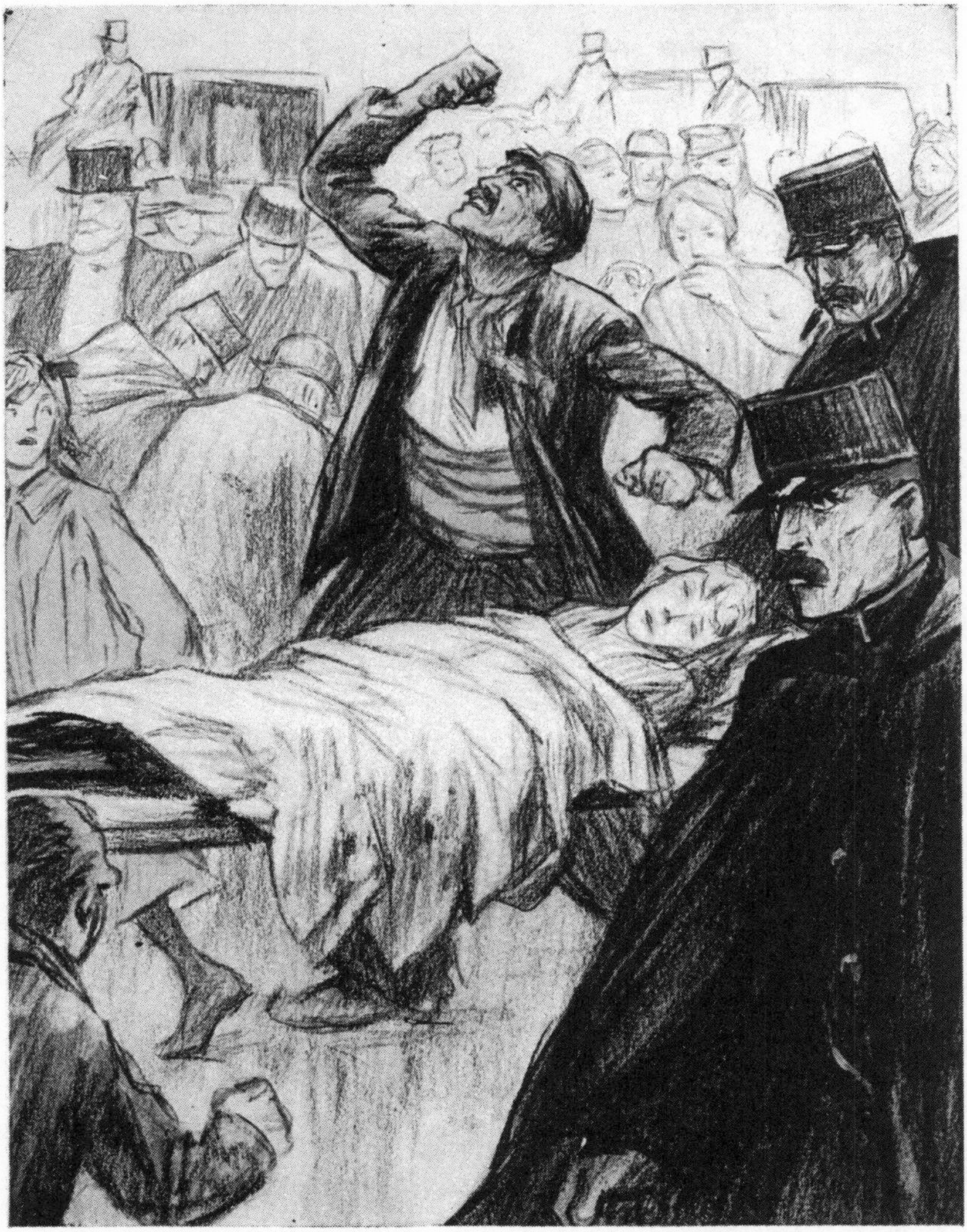

空からやってきた"ドイツ文化"
ツェッペリン飛行船の襲来。

仏人「軍曹、君らは志願兵なのか」
私「そうだ伍長、我々は皆志願兵だ」
仏人「この大部隊は皆そうなのか」
私「そうだ、全員だ」
仏人「それはすごいな」

英国人志願兵の士気

志願兵は大学や農家、商店、工場、事務所、鉱山等から押し寄せた。国際法や国民の権利、文明そのものが危機に瀕していることが彼らに伝わったからだ。彼らはドイツ国民に敵意を抱いていたわけではなく、彼らの運命を左右しようとし、その信頼を大きく損ねた者たちに理性を取り戻させようと固く決意していた。

ドイツ人の捕虜や負傷者に対する英軍の心遣いは、実に麗しきものであった。戦死者の同僚将校から私に届いた手紙には、「彼は部下にドイツ人の長所を絶えず話していた」とある。私の友人二人が戦線に赴く際に口にした不安は、戦闘中に不幸にもドイツ人の友人知人に出会いはしないか、というものだった。

陸海空におけるドイツの非人道的な戦争は、戦争が始まった時には考えられなかった事態をもたらした。多くの社会主義者（小新聞の社員六人が早い時期に）、クエーカー教徒や学者まで、普段は戦争を痛烈に批判している人々も数百人が志願したのである。これらの人々は、公言していた信念に反して武器を取り、なお命まで捧げたのは外でもない。すなわち天下の公道に反して暴挙を犯した挙句、信じられないような残虐を無情にも加えている強国を制圧し、これを膺懲するためである。ドイツ軍国主義は、これを打破しなければ文明を滅ぼすに違いない倫理観及び国際関係の観念に立脚するものであり、このことを承知し、人類の幸福を念頭に置く人々は、ただこの犯罪国家に対して一種の国際的警察権力を執行し、最後まで戦うより外にとるべき道はない、と考えたのである。

歴史の審判

我々は、訓練を経ずしてフランスに最初に上陸した志願兵たちの犠牲を忘れてはならない（軍服が不足しており志願兵の多くは平服で訓練を受けたが、これは英国が戦争を予期していなかったことを示す証拠である）。歴史に知られた英国陸軍はすでになかった。一九一四年八月にドーバー海峡を渡った部隊は、その一割も残っていないだろう。歴史は、あの最初の部隊とその補充として出征した志願兵の気高い精神について語るのである。

私が本書において、わが同胞が如何なる動機で剣を取るに至ったのかを日本の友の前に示そうとした理由は、これほど下劣で卑しい情動に汚されまいとする目的のために、自らの命を捧げた軍隊は未だかつてなかった、と歴史は評するであろうという確信があるからである。

第二十三章　全体の結論

平和の障害

日本の立場

この戦争が研究に値するのは、近世史上、国際間にこれほど驚くべきこと、これほど熟慮に値することがなかったからだけではない。日本が英国の同盟国であるから、特に研究の価値があるのである。同盟関係が有効で永続的なものであるためには、相互の理解を深める機会を失わないことが重要である。英国民をこの戦争に奮い立たせた動機を十分に理解しなければ、連合国の国民が英国人を知るに当たってその最も重要な点を知らないことになる。戦争ほど国民の道徳心の質を厳しく試すものはなく、国民の道徳心の真価をこれほど明確に示すものもない。日清日露の両戦役において、日本の道徳心は最も厳しく試され、最も光輝あるものとして示された。同じことが今、英国、ベルギー、ドイツの道徳心に対して試されている。戦争は、彼らの道徳性について何も隠すことを許さなかった。戦争は絶対的な真実をさらけ出した。英国民はドイツに宣戦布告し、その戦争を断乎として遂行する自国政府を支持したが、それは政治的、商業的、あるいは物質的な利害によって動かされたのではない。ベルギー人に対するドイツの仕打ち、ドイツの統治者たちが世界に強要しようという卑劣にして危険な行動規範に反抗し、これを打破することが我が義務であるという信念によって動かされたのである。

無益の平和運動

善意の人々の中には、戦争の惨禍と浪費を嘆き、「戦争はもう十分長く続いているのだからやめるべきだ」と言う人もいる。彼らは漠然と「和解」を提案しているのである。この戦争で親族や友人を失い、さらに何時また他の親族や友人の訃報に接するかもしれず、この戦争でどれだけ犠牲を払ったか、そしてまた今後も犠牲を払うことを知りつつも、この恐るべき虐殺が人類の進歩や啓蒙についてのあらゆる思想から如何にかけ離れているかを実感している我々は、誰かに平和を説かれる必要はない。我々は毎日、平和が訪れる時を心待ちにしている。しかし、この戦争から学ぶべき教訓があるとすれば、それは「平和などないのに、平和、平和と叫ぶ」ことの愚かさである。これ以上、全世界に国際的なまやかしの支配を広げることはできない。平和は、国際関係と国際道義についての健全で崇高な理念の上にのみ成り立つものである。我々は、単に疲弊しているからではなく、理性と確乎たる目的に基づいて和平を実現しなければならない。フランス首相が最近述べたように、相応しくない和平は「戦死者に対する侮辱」である。和平はよいことである。しかし、同じくフランスの政治家であるクレマンソーは「何のための講和なのか」と鋭く問いかけている。

「戦争前、我々はドイツに何を求めただろうか。開戦以来、我々はドイツに、独立と自由、そして不当な行為による被害の賠償以外、何も求めていないではないか。これらの問題に関し、どのような講和を考えるべきか」

和平の唯一の障害はドイツ

戦争三年目の第一週、ロンドンで最も信頼できる週刊誌の一つが、和平成立のための「条件と原則」を論じるコラムを掲載すると発表した。間もなくフライアット船長事件が起こり、その翌週には和平に関する論議は中止され、次のような発表がなされた。

「ドイツが海賊行為で戦争を遂行し、我々を恐怖に陥れる海上法規を案出してそれを呑ませようとする間は、この国は和平など考えもしないだろう」

平和への道に立ちはだかるのは、連合国ではなく、全く改心しないドイツなのだ。

ドイツ主義の帰着点

フライアットは、ハリッジとオランダを結ぶグレート・イースタン鉄道会社の定期旅客船の船長であった。彼は、自分の船を守ろうとして独潜に突進した件で、急遽行われた軍法会議の後銃殺された。船長の処刑は、ドイツの法を含むあらゆる海上法規に明白に反していた。開戦の半年前に規定されたドイツ拿捕法規の第十一項には、拿捕に抵抗する商船について、「乗員は捕虜として扱われる」と明記されている。開戦の半年後に出版されたドイツ海軍裁判所補佐ヴェーベルク博士の海上戦闘に関する教本には、「敵商船乗員が積極的に抵抗してもその運命に何ら関係なし」と書かれている。ヴェーベルク博士が指摘しているように、また学生なら誰でも知っているように、商船が拿捕に抵抗してもゲリラに対する罰則は課されない。軍法会議でのドイツ側の主張は、乗客乗員に対する不当な攻撃に抵抗し、彼らを死から守る唯一の手段を講じた船長が、自由狙撃隊であり殺人者であるという馬鹿げたものだった。過去数年間、ドイツに対して最も友好的な態度を示してきたロンドンの雑誌も、この弁明や、陸海での蛮行を正当化する多くの同様の弁明は、ドイツ陸海軍人が自分の目的に好都合だと思えば如何なる残虐行為も許されるという考えに帰着する、と論じている。

次のドイツの蛮行

次に何が起こるのか。ハインツ・ポトホルフ博士（ラインラント出身の進歩人民党党首、元帝国議会議員）は、その著『国民か国家か』の中で、「必要とあらば、今や我々の食糧を食い尽くす多数の捕虜を殺さねばならない」と書いている。これはこの著者ただ一人の声ではない。

カール・ストルップはドイツの『国際法年鑑』の中で、「指揮官が受けた命令を遂行するための唯一の手段と考える場合には、捕虜を餓死させることも許される」と書いている。前古未曾有の驚くべき虐殺を引き起こしたこの重大な責任を全く自覚することもなく、人情の枯渇したその胸中になお新たな罪悪を犯そうとしている民族と、共に平和を語るのは無益なことである。

「己が犯した罪がその血に染み、然（しか）も片時も後悔の色なし」とはドイツという国家をよく表わすものである。またドイツ国民を言い表すのは次の一句である。「彼等は戦乱の世界を通りて、己が目的を達せんと努力せり。然もその勝利を得る前に、彼等の呪いはその魂を殺せり」

物質主義に根ざした〝ドイツ文化〟が、国家を如何なる道徳的破滅に導くものであるかを悟ることができたなら、欧州を襲った大惨事は必ずしも無駄ではなかったことになる。

連合国の講和条件

英国及び他の連合国が戦争を継続する理由に、疑問を差し挟む余地は全くない。ここに首相の言葉がある。

「英国及びフランスが共に戦争を始めたのは、ドイツを絞殺するためでも、欧州の地図からドイツを消し去るためでも、ドイツの国民生活を破壊するためでも、（ドイツ首相の言葉を借りれば）「ドイツの国民的活動の自由な営み」を妨害するためでもない。我々は英国においてもフランスにおいても、ドイツ（ここではプロイセンを意味する）が近隣諸国に対して軍事的脅威を与え、支配的地位を確立するのを阻止するために、武器を取らざるを得なかったのである。ドイツはこの十年間、欧州に対ししばしば戦争をもって威嚇し、我が意を通そうとする意志を示した。ベルギーの中立を侵害したことで、ドイツは世界規模の戦争を起こし、条約によって確立された欧州外交の基礎を破壊してでも、その覇権を確立しようとする意図があることを証明した。この戦争における連合国の目的は、このような企てを打ち破り、全ての文明国のために平等主義を確立する国際制度を定める道を開くことである」

これだけではまだ不明瞭というなら、英国の最も偉大な海外行政官の一人であるクローマー卿の言葉を引用しよう。

「我々は、プロイセンの軍事力ではなく、プロイセンを支配する軍国主義政党が滅びることを望むのである」

クローマー卿は注意深く付言し、「しかしこれはドイツ国民自身が行わなければならない。ドイツ国内の改革を他から押し付けようとするのは、大きな誤りである」。

「我々は我が正義のため、他の欧州列国のため、また後世の人々のためにも、ドイツ人が改心し、現在の政策と政治体制がドイツ国民自身にも文明世界の他の国々にも災いとなるという事実を自覚するまでは、剣を収めることはできない。このような転換は、その体制の完全な失敗がドイツに残っている多少とも正気ある人々に明らかになって、これらの人々がその呪縛から脱し、現在その局外にいる文明国の仲間に復帰しようとするまでは、起こりえないことである」

英国のジョージ陛下とベルギーのアルベール陛下（長身の人物）

独帝とベルギー国王の異なる視点
独帝「見よ爾はあらゆるものを失ったのだ」
ベルギー国王「されど我が魂は失わず」
『パンチ』より。

付録

世界史に見る英国人の特性

スイス人記者が集めた過去百年間の事跡

一九一六年四月十日発行『REVUE DES JEUNES』誌に掲載されたスイス人記者M・アンドレ・ドゥ・バヴィエ氏の記事より抜粋

人は英国人の誠実さを尊ぶ一方で、英国政策の理想主義的側面を無視し続けている。英国という国家には膨張と征服の時代があった。しかし英国人が自己のために広大な帝国を造り上げたからといって、英国人は正義と寛大さを持ち合わせていないと断定するわけにはいかない。英国人は真の自由主義をもって帝国を統治し、幾度となくその政策を道徳が求めるものに従わせようと努めてきた。英国人は概して、自分の行動の規範となる重要な理念を口にしない。自分の最も本質に関わる感覚に触れるようなことには、謙虚な意識で接するのである。美辞麗句や大げさな表現を嫌うため、自分の考えを誇張し、誠実さを欠くことを常に恐れている。さらに、その理想主義はラテン人のそれとは全く異なる。フランス人は思想そのものに情熱を注ぎ、理論や抽象的なものを好む。英国人はこのような観念論者とは正反対の性格を有するが、かといって観念論者を否定するわけではない。英国人の穏やかな外見は、往々にしてその情熱的な精神を隠すのである。その宗教的傾向から、道徳的な側面に重きを置いて人生を観ている。その感性は、激しくも繊細で、他人の痛みに対しては非常に神経を悩ます。英国人は聊か哲学的思考には無関心だが、一たび不義に気づけばすぐに心を動かされるのである。

一八一五年のウィーン会議で、奴隷貿易に反対する基本宣言を要求し、それを勝ち取ったのは英国人だった。一八三四年、英国の法により八十万人の奴隷を解放し、二千万ドルの代償を払ったが、これは当時としては莫大な金額であった。

英国は、スペインに対する南米諸国の独立戦争と、トルコに対するギリシャの反乱に積極的に協力した。著名な英国人たちが、南米諸国とギリシャに自ら兵役を申し出るほどであった。提督のコクラン卿はチリ海軍を再編した。スペインの南米総督は憤慨し、英国の貴族でありながら反乱軍を支援し自己を卑しめるとは驚きだ、と述べた。これに対してコクラン卿は堂々とこう答えた。「英国の貴族は、蹂躙された人権を回復しようとする国であれば、どんな国であれ支援するのが当然と考える」と。

一八二七年、コクラン卿はギリシャ軍に加わり、トルコ軍と戦っていた。コクラン卿の同志には、ギリシャで戦死したバイロンや、レパントの英雄リチャード・チャーチ卿などがいた。英国はギリシャの誠実な友邦であり続けた。一八三〇年にコンスタンチノープルの英国の特使は、ギリシャのためにアルタとボロスを結ぶ線を国境として決着させた。一八六二年に、英国は現ギリシャ国王に戴冠式の献上物としてイオニア諸島を割譲した。一八八〇年、グラッドストン首相はテッサリアとイピロスの一部をギリシャに返還した。

また、英国は常に小国の味方をしてきた。一八四七年、スイスは内戦の危機にさらされた。オーストリアとプロイセンは、この危機に乗じて介入しようと躍起になった。英国はこの時警戒態勢をとった。こうして外国が干渉する危機は去り、スイスは救われた。

オーストリアのくびきを振り払おうとするイタリア国民の苦心は、英国でも熱い同情をもって見守られた。一八二〇年のトロッパウ会議では、英国は外国がイタリアに干渉しようという如何なる考えにも反対していた。一八四七年、オーストリアが戦争準備を進めていることを察知したパーマストンは、ミント卿をイタリアに派遣し、サルデーニャ国王に英国の友好を保証した。翌年、パーマストンは蜂起したシチリア人に武器を提供した。一八五六年のパリ会議では、オーストリアのトスカーナからの撤退を要求した。パーマストンが亡くなるまで英国民の支持を集めていた秘訣は、氏が英国民の騎士道精神に訴えるすべを理解していたことにあった。ローが『英国政治史』の中で語っているように、「英国人は、強きを挫き弱きを助け、専制政治に反対し立憲政治を支持する政治家を誇りとしていた」のである。

一八九五年及び一八九六年にアルメニア人の虐殺が起こった時、世論は激昂した。集会が各所に開かれた。他の列強は行動を起こそうとしなかったが、グラッドストンは英国がこの暴挙を止めなければならぬと主張した。グラッドストンは八十八歳の老齢にも拘わらず、トルコに対して一大雄弁を振るった。独帝がトルコ皇帝に与えた支援は、不幸にも英国側からの効果的な介入を妨げたが、英国の世論は無私の理想主義とでもいうべき崇高なものであった。

しかしそれ以上に重要なことは、英国政府が人道に反する行動を取ったとき、常にそれに反抗する勇気ある党派が国内に現れることである。彼の有名なアヘン戦争の当時、アシュリー卿はアヘン取引の規制を提案し、グラッドストン、ジェームズ・グラハム卿、ピールは政府の行動を非難した。議会の支持は彼らに集まったが、内閣不信任案は五百票のうちわずか九票の差で否決された。

一八五七年、コブデンはさらに成功を収めた。一八五六年秋の末、支那との戦争が勃発し、広東は英国艦隊によって砲撃された。貴族院ではダービー卿が、下院ではコブデンが、政府弾劾の動議を提出した。政府はでき得る限りの弁明を行った。英国の国旗が陵辱されたのだ、如何なる犠牲を払っても英国の威信を守り、戦争を開始することを義務と考える香港の総督を支援する必要がある、すでに清国民が何人もの欧州人を虐殺し、商家を焼き払った今、もはや手を引くわけにはいかぬ、と論じた。それでも下院はコブデンの動議を可決した。この日の演説を読み返すと、その道義的精神に心を打たれないわけにはいかない。

元首相ジョン・ラッセル卿は後日再びその地位に就いたが、氏はこう述べている。

「我々は商業上の利益についても、また英国の名誉についてもよく耳にした。しかし、『我々は実に過っている。我々は実に不正である。我々は実に不義である。だが我々はその過ちを続けなければならない。そうしなければ、清国人に我々が恐れていると思われるだろう』と論ずる人々に一言述べたい。正しくあれ、恐るるなかれ。国威の点において失うところがあるとしても、この方針によって進むとき、我が国の品格と名誉はさらに高まる、と私は確信する」

ロバート・セシル卿すなわち後のソールズベリー卿は、英国は支那のような弱い国を刺激すべきではなく、英国の政治家は常に不当な侵略行為を否定する姿勢を示すべきだ、と言明した。グラッドストンは、その生涯で最も傑出した演説のひとつで、遺憾なくその騎士道精神を発揮した。最終投票において、内閣不信任案は二百四十七票に対して二百六十三票の多数をもって可決された。

一八八〇年、理想主義の嵐が国を揺るがし、下院を席巻した。数年間少数党に甘んじていたグラッドストンは、一八七九年末に組織的な選挙運動を開始し、対外政策において特に高尚な理念を標榜してビーコンズフィールド卿の政権を攻撃した。高名な自由党政治家たちの批判は必ずしも的を射たものではなかったが、グラッドストン派の選挙運動を盛り上げた着想は賞賛に値するものだった。グラッドストンは常に、他国の権利を尊重せよと政府に強く求めていた。氏はエジンバラで「大国も小国も同じ正義と同じ敬意とをもって扱われるべきである」と叫んだ。またグラスゴーでの演説で、「アフガニスタンの僻村における命の尊厳は、全能の神の目には、諸君の命と等しく神聖なものであることを忘れてはならない」と訴えた。ドイツ人は、英国人は冷徹な功利主義者だと言うが、その英国人がグラッドストンの熱烈な訴えに応え、彼を再び首相の座に返り咲かせたのである。

英国の政治の世界では妥協が多いが、このような義務感に基づいた崇高な実例が数多くある。保守党党首ピールや自由党党首グラッドストンのような人物は、自分が正しいと考える大義のために、全てを犠牲にすることを躊躇しなかった。ピールは、党内の多数派に反対してトウモロコシ関税廃止法案を通過させた時、自分の政治的地位を損なうことを十分承知していた。アイルランドの自治問題で一八八六年の選挙に敗北したグラッドストンは、アイルランド自治案を放棄するよりも、自分の再選を難しいものにするほうを選んだ。

ネルソンは死の直前に「英国は各自が自己の義務を果たすことを期待する」と語った。多くの英国人を熱烈な支持者に変えたのは、この義務に対する愛なのだ。しかし、この義務に対する愛は結果に過ぎない。その根源は、英国人の精神の奥底に求めなければならない。

日本人記者が記した今次戦争における英国人の特性

第一　一九一六年九月二十日発行『東京日々新聞』掲載
矢野龍溪（りゅうけい）氏稿

ある人の評に曰く英人ほど誤解され易い人種はない、日本人ほど誤解し易い人種はないと。如何にも幾分の事実があるも知れぬ。一方は頗る気が永い、一方は頗る気が早い。同盟の大局は永く動きもすまいが細事においては邦人の留意を要する場合が無いでもないらしい。一たび志を決して事を始むれば一歩々々確実に地歩を占め、徐々ながらも必ず目的を遂げる、また誓約に忠実なること他に比類なき所など、英人の長所美徳である（他の短所はあるにせよ）。故に苟（いやし）くも連合軍側に立った上は必ず飽までもその心力を尽すに相違ないが、何分にも遅重（ちちょう）なる気風であるから、気早な邦人の眼にはもどかしく感ぜられ、何をぐずぐずして居るか、昼寝でもして居はせぬか、唯自利のみ図って露、仏人を働かせ、蔭で旨い事ばかりして植民地を取込むではないかなどの疑いを招き、中立国人からも動（やや）もすれば同様の批評を得た事もある。気早な連中から見れば無理も無い事ながら、少しく永い目で見て居ると決して左様でないことが分って来る。故に英人に対する批評はその結局を見た後にする必要がある。

彼らはその初め陸戦に慣れぬものから、例の悠長なる態度で戦線の塹壕中でも平生通り毎朝髯（ひげ）など剃っていたに相違ない、左も有ったろうと想われる。しかし斯（か）く悠長にのろくさく見えても、次第に勇敢の働きをなして結局に大功を必ず収むるであろう。大抵の事は喜怒が色に露（あら）わさぬこと故彼らの気風を呑込まぬ者は一寸この辺が判じ兼るも知れぬ。

また彼らが何事も有体（ありてい）〔ありのまま〕に告げて、聊かも表面を飾らぬは一種の特性である。これは畢竟（ひっきょう）〔結局〕直実宏量で無ければできぬことである。その戦報などを見ても敗れたときは敗れたと言って少しも隠さぬ。先頃の海戦の如きも一度出したらその報告も後に訂正を要せぬ程に事実を発表する。負ても勝ても鷹揚なものである。一方ドイツ人となると全く反対であるいは戦敗を秘し、あるいは破損の船数増減の手加減をする。故に最初戦報を見た時に気早な邦人中には英軍を大敗北と信じて大に憤恨した者もあったかのようである。

爆弾の裂片は雨飛し、毒瓦斯（ガス）は全地を蔽い砲煙糢糊（もこ）たる際、他国人ならば、頭髪上り刺し、目眥（もくし）〔まなじり〕悉く裂く、という昂奮の態を現する場合にも尚ノオットした顔付にて落付き払って行動せる彼らの気風を邦人は呑込み居らねばならぬ。

一方は極めて気が永く、一方は極めて気の早い日英人がよくも同盟したものと、後世の史家に批評せらるるも知れぬが、斯く相違の点はありながらある一事において両国民の気質の深く一致し居る大切の点がある。それは互に封建時代の武士気質がなお存在して武士らしき気風において互に一致の点が見出されるからである。気の長いと短いとは言わば小節である。死生の間に立って談笑すべき武士気質こそ彼我双方の互に深く相許す心である。

英国がドイツに二倍するの大海軍力をもって海上の全権を確保し、敵国を封鎖するの大任を果しながら一方には与国〔同盟国〕に対して莫大な金銭兵器を貸与融通するは、これだけにて十分の努力である。

而して今やまたこれに加うるに陸上においてほとんど五百万の大兵を挙ぐるに至っては決して生やさしい骨折でない。十二分の尽力と云わねばならぬ。昔大那翁（ナポレオン）の欧州戦乱にも英人は他国が長い戦いに疲れへたばる頃に益（ますます）奮起したが今次もまた同様で、敵味方とも大抵に疲れ出した頃彼はそろそろと勇気を出しかける。その真価を評すべきはこれからである。英人に対しては気早やの批評はくれぐれも禁物と思わねばならぬ。

第二　一九一六年十月二十一日発行『ヘラルド・オブ・アジア』社説 頭本元貞（ずもともとさだ）氏稿の一節

国家の自由と各自の理想のために戦う幾百万の大兵を、個人主義に凝り固まっていると思われた民衆から育成することに成功した国民、またその最も偉大な人物を失ってもこれに代わる人物はいくらでもいると思い心を慰めることができる国民、友好国からの同情を期待するのが当然の時期に、日英同盟に対する辛辣な批判を試みる者がいてもほとんど意に介さない国民、バルカン半島での軍事行動に致命的な過ちを犯しても狼狽の様子を見せない国民。かかる国民とその文学は疑いもなく生きた教訓を与える。その教訓は日本人の過去の経験と修養に見事に適合し、全ての日本人はそこから学び、自らを向上させることができる。

英国人の武士道

フランス人記者の英国魂観、大和魂観

M・ポール・ゴルチエ　一九一六年七月八日発行『ルヴュー・ブルー』誌所載

連合国側が安心感が得られるものを必要としていたとすれば、英国の奇跡的な変貌ほど彼らの期待を強めたものはないだろう。英国は世界で最も陸上の戦備が不十分な国であったが、今や一躍して一流の陸軍国へと発展したのである。そしてその変貌は、それを達成するために英国が自国のあらゆる伝統に逆らわなければならなかったのであり、その点で一層注目に値する。

英国民は平和をこの上なく愛する国民である。したがって何よりも徴兵制を嫌っていた。その英国が自発的に徴兵制を採用したのだ。あらゆる国の中で英国は、自国の自由を最も愛し、権力者による自由への侵害を最も嫌う。しかし英国人は軍事上だけでなく、産業上のあらゆる方面にわたって国家権力に積極的に従い、そうすることで軍隊に必要なものを迅速かつ十分に提供しているのである。

このような犠牲は、自由の母国たる英国が、より高き自由の大義のために、抑圧され踏みにじられている他国民の権利や自由のために、自らの自由を捨てることを平然と選んだということに外ならない。英国は、自由のために我が自由を放棄したのである。英国は最後の勝利を得るために我が自由を犠牲に供したのは、我が自由の究極の行為であった。実際、英国がその国民的特性に背いたのはその特性にこの上もなく忠実であるがゆえであり、英国人が最も忌み嫌う軍国主義を国家国民のあらゆる

活動に融合し得た秘訣は、すなわち英国精神の本質である強い個人主義、個人の価値観の中にあったのである。

平和を愛するということに関してであるが、一九一四年、英国は実に平和を愛していた。今回の戦争勃発時に遡ってその時の状況を見れば、このことは一目瞭然である。

パレローグ、カンボン、ポアンカレは皆、フランスから渡英し、戦争を回避するため、英国も公然と仏露側に立つよう英政府に要請した。英国政府は七月二十五日に至るもなお、「戦争が激化すれば英国が中立を保つことは困難になるであろう」と答えるだけであった。二十七日、英政府はロシア首相に「外交的支援」を保証したのみであった。二十九日、エドワード・グレイ卿はフランス大使に、英国は参戦不戦いずれの行動をとるも自由な立場にある、と告げた。ついに三十一日、フランス大統領が「英国が公然とフランスと手を結べば戦争は回避できる」と訴えたのに対し、パリ駐在英国大使は外務省を代表して、「英国民は何人も英国が欧州の戦争に参加する義務があるとは考えておらず、故に英国の参加を約束することはできない」と答えた。

そして八月四日、ベルギー侵攻が始まる。ドイツと英国はベルギーの中立を保証していた。しかしドイツはその約束を破った。英国は直ちに連合国側に付いて、宣戦布告するに至った。

アスキス内閣は、南亜戦争に対する反動の結果誕生したキャンベル・バナーマン内閣の政策を全て踏襲していた。すなわちアスキス内閣は、社会の改革と発展にその国力を傾注していたのである。英国政府が英仏間に協定があったにも拘わらず、最初からフランス側に立たなかったのは、その前に世論の動向を確かめる必要があったためである。英国では如何なる内閣も世論に逆行できないばかりか、世論を離れては何も為し得ないのである。このことは、当時英国の世論が戦争に傾いていなかったことを如実に示している。

一九一四年七月には、英国の国論は平和を希望していた。英国人にとって戦争とは抽象的な観念である。英国人は実際に戦争なるものを知らない。したがって、戦争を恐れることもない。かつまた英国人は想像力に乏しく、「事実」にのみ依拠する国民であるから、彼らがよく言う通り実際に目にしないものは信じることも、理解することもできないのである。

弱ったのはフランスであった。英国がその国論を統一して挙国一致を達成するのに、時間が掛かりすぎたからである。現代の戦争が如何に戦慄すべきものであるかを英国人に実感させるためには、国中にこれに関する出版物や写真の類いを溢れんばかりに配付するだけでなく、後送された傷病兵の状況を写真に撮って一般大衆の間に広め、「戦線視察ツアー」さえも手配する必要があったのである。

日本と同様海に囲まれた安全な国である英国は、戦争の恐ろしさをどれほど理解していたであろうか。日本には、蒙古が足を踏み入れようとして成らなかった。英国には、ただ千年前のノルマン人が足を踏み入れることができただけである。過去の歴史から、英国民は今後も安全であると認識し続けたとしても不思議ではない。

その意識は、英国民の間で時には過大な楽観主義を生み、そのために指導者、新聞、識者たちは幾度か悲観論を強調せざるを得なかった。国家は極めて健全に発達し、国民の神経も平静であるが、英国民の動きは鈍いため、それを動かすには悲観論を強調して注意喚起する必要があったのである。

また英国の文明は真の文明であって、あらゆる暴力を極度に嫌悪する。英国は戦前、平和を希望したのである。英国の国民的宗教心は形而上学的というよりむしろ倫理的であり、戦争を嫌忌する念が強い。モーゼの訓戒には「殺すなかれ」とある。自己の全ての行為は天上の大権にのみ直接責任を負うと考える、英国によく見られる清教徒の魂にとって、この厳格な禁忌が如何なる意味を持つかを考えてみてほしい。

かかる人士が、上官の命令だからといって、それを口実に人に向かって銃を撃てるだろうか。かかる人士が、カーキ色の服を着たキリスト教の神がドイツ人労働者の腹に銃剣を突き刺している姿を想像し得るだろうか。はたまたキリスト教の救世主が、潜んでいた独軍に機関銃を撃ち込む姿を想像できるだろうか。

「いや、私に言わせればそんな考えは馬鹿げている。私はたとえ防衛戦争であっても容認できない」とは「良心的兵役拒否者」の言である。実際、それは仏陀の精神そのままである。彼らは道徳的に悪だと考える行為に参加するよう、他の誰かに勧めることもない。たとえばケンブリッジ大学の牧師たちは、英国の大司教たちが、英国の自由と安全、そして世界における英国の立場について語り、国家の危急存亡の場合は、平和の御子（キリスト教におけるイエスの称号であり、来迎の仏陀の称号に相当するもの）の千古変わらざる垂訓であっても従わなくて差し支えないかのように論議するのを非難している。キリスト教の一派であるクエーカー教徒もこの点に関しては確乎たる信念を持っており、徴兵を免除せざるを得ないと考えられたほどである。また社会主義者の中にも、同様の理由で徴兵を逃れようとする者がいる。

また、英国は軍国主義を嫌悪することで、より平和を希望したのである。ドイツは国民一人ひとりがナットやボルトのようにその役割を担う巨大な機械であるのに対し、英国は英国人の巨大な組合のようなものであって、組合各員が一個の小英国なのである。英国は英国人にとって、ドイツ人の上に君臨するような揺るぎなき神聖なるものでもなければ、フランスの国民が国家のために喜んで苦しみ、死を選ぶ最愛の祖国でもなければ、日本のように古来からの聖なる国でもない。英国は、各人が英国であり、英国そのものなのだ。英国人がなぜどこでも自国にいるように感じているのか、理解できるだろう。英国人はどこへ行くにも英国を持っていくのである。

そしてさらに、兵士になったこともなければ、兵士になる必要性もなかった英国人が、避けられない軍事的緊急事態によって突然自分が徴兵されると知ったとき、どれほど空虚で苦々しい屈辱に襲われるかを理解できるだろう。個人の自由を心から尊重する国民性をもち、時間をかけて一人ひとりが個性を育成してきた英国人にとって、これほど忌まわしいことはない。英国の精神そのものが、このような出来事によって侵害されるのだ。ダイサート卿は貴族院で徴兵制について、「奴隷がどうして自由になれるのか」と演説した。つまり、ほとんどの英国人の目には、徴兵制は英国人の自尊心を傷つけるものに映ったのである。これが、徴兵制がこれほど反対され、長い間志願による入隊が好まれた根本的な理由である。

一九一四年八月二日以前はほとんど誰もがそう考えていたのであり、戦場では一人の志願兵は多くの徴兵に勝る、と英国の名士たちが今なお主張している。ジョン・サイモン卿曰く、志願兵の精神力は勝ること徴兵の三倍であり、シーリー大佐に至っては十倍であると評価している。

三百万の英国人が、ベルギーの中立侵害と独軍による恐るべき醜態の報に接し、潮の寄せるが如く軍旗の下に馳せ参じた。これはまさに純粋な個人主義、各自の良心の力によるものであった。ベルギーの中立は英国が保証し、関係文書には英国が署名してある。英国が挙国一致し、全ての紳士、商人、職工その他労働者までもが一斉に起ち上がったのは、この保証が蹂躪され、英国の署名文書が反古にされたからである。それ以外の動機はない。彼らは英国の利害、英国の危機を考えて起ち上がったのではない。実際彼らの頭には英国の危機などは思い浮かばず、英国が急迫した状況にあるとは考えてもいなかった。彼らの頭にあったのは、英国の言責を果たし英国の名誉を守らねばならぬこと、同時にドイツの犯罪に対する怒り、これだけであった。実際、初期の志願兵たちを十字軍の勇士に比することができ、彼らは人道の何たるかを理解しない悪の大国ドイツとの戦いに赴いたのである。

ドイツの飛行船は英国を襲い、その爆弾は無防備な町に遠慮なく投下された。この暴挙は英国人の恐怖心を強め、差し迫った危機を人々の心に刻み込んだ。その当然の帰結として、英国の自由市民は競って武器を取り、軍隊は膨れ上がったのである。独軍の恐怖を煽るやり方は、心ある国民に対しては意図したものと正反対の効果をもたらしたのは、まぎれもない事実である。

新兵募集を喚起するために使われたあらゆる手法、あらゆる宣伝、英国人の心を動かし得るように作られたあらゆる大衆向けの呼びかけを見れば、何百万もの英国人が進んでその身命を賭そうとしたのは、決して世論に迎合し、衆愚に媚びようとしたためではなく、全く個人的名誉、個人的良識という観念に動かされたものであることがはっきりわかるのである。彼らが志願したのは、自分自身の崇高な意識に基づくものであった。これは典型的な英国人の特質であり、英国人はその自己の責任感から、自分自身としっかり向き合わねばならぬという意識が根付いている。

それゆえ、全ての訴えは各人の良心に向けられたものでなければならなかった。あらゆるプラカードやポスターが訴える基調は「義務」であった。掲示広告のキッチナー卿やロバーツ卿の肖像は同胞に義務を尽くせと促し、壁に貼られたイラストは英国人の自尊心に訴えかけることを目的としていた。これらの勧誘法は着々功を奏し、責任を解する人々がまず軍に身を投じた。その他の者も、さらに踏み込んでその良心に訴えかけられ、相続いて身を投じた。それでも呼びかけに応じなかった者たちに対して個人訪問が始まり、義務を果たすよう説得された。国家に強制される前に自由意志で兵役に就き、義務を尽くせというのがその勧誘の要旨であった。ダービー卿はこれを、一見矛盾した「義務的自由兵役」と称した。

そして一九一六年五月十六日、ついに徴兵制が法律として成立した。この徴兵制は、英国の自由にかつてない束縛を加えるものであった。そしてその徴兵制を認めたものが英国民の自由意志というのであるから、英国の自由に束縛を加えたのは、英国の自由であると言っても決して矛盾ではないのである。

英国の絶対的主権者である英国民が徴兵制に全面的に賛成していなければ、如何なる政府も英国に徴兵制を布くことなどできなかったであろう。英国の世論は、徴兵制度に対してこのように一変したのである。その主な原因は実に道徳的動機に外ならない。

もちろん私は、英国がドイツの野心に脅かされる危険に注目しないわけではない。英国人は現実的な国民であるから、かかる事態に盲目的でいられるものではない。

十六カ月に及ぶ自由兵役の後、徴兵制が布かれた。これは彼らの功利主義からも来ている。自由兵役の性質上、国民の精華とも称すべき優良分子を戦場に奪われ、劣等分子を国内に残さなければならなかった。これに対する最良の政策は劣等も戦地に送り、精華も内地に留め得る徴兵制を採用することであったのだ。

同じように、英国全土がひとつの巨大な戦争資材工場に変貌したのも、何百万もの従業者が自発的にひとつの目的に向かって結束した結果であり、プロイセンにおいては上からの強制であるのとは全く対照的である。

なおまた知らなければならないのは、英国の各種組織に関することである。英国の一般の組織は、予め決められた計画に従って行動したことはないということだ。それはむしろ手探りで、時には頓挫し、時には妥協する試みを繰り返しながら前進していく自然の過程を模倣しているのである。自然が好んで用いる方法は多様性である。それは個々の特性を守りつつ、支え合って全体におけるそれぞれの能力を増大させるのである。これが英国のやり方でもある。その結果、英国の産業が戦争の要求に適応するのは後れたが、安定がもたらされたのである。

「最も困難なのは己自身を変えることである」と仏陀は言う。英国は純粋な名誉のために、そしてプロイセン軍国主義と対極にある自由を守るために、自らの意志でこの課題を達成したのである。

そして、英国民には努力を喜びとする特性がある。この特性が今回の国民的変革に寄与したが、そのことは戦線を埋め尽くす、勇ましくも陽気な仲間たちを一目見れば納得するだろう。

もちろん、英国人はフランス人ほど理知的ではない。フランス人は如何なる問題においても議論し、熟考することに情熱を傾けるが、英国人はそれとは反対に、理知的であることそれ自体を目的とは考えず、また重要なことだとも考えていない。それを補って余りあるほどの勇気があり、さらに重要なことは、勇気を理知よりも優先させることである。英国人に理知がないわけではない。多くの哲学者や学者が、そのような考えを否定している。私が言いたいのは、英国人は思考より行動を尊ぶということだ。実行が英国人の国民的信条であり、英国の国民生活は全て行動中心になっている。

教育とは本質的に人格の錬磨であり、体育とは本質的に迅速な決断の実践である。そして英国の宗教並びに倫理観がもたらすものは、日本の武士のような自己の品位、体面を重んずる精神である。これらが英国人一人ひとりの人格を構成する。そして、英国人の沈着、剛毅（体育によりさらに向上する）の資質が、行動を重んじ、努力を愛する特性を益々発達、助長させるのである。

英軍兵士に見られる、まるで日本兵のような自制心がその何よりの証拠である。英兵は如何なる危険に直面しても冷静に対処する。狼狽せず、一歩も退かず、その立つところで死ぬのである。英軍の損失がいつも驚くべき数を示すのはそのためである。

フランドルの塹壕に溜まった水に膝まで浸かり、絶え間なく降り注ぐ雨に打たれながら、声をそろえて「どこかでお日様が照っている」と高らかに歌うのである。自分たちの義務を尽くしているという自覚からくる淡いユーモアの情が感じられるが、この英兵たちの忍苦に全面的に共感できるのは日本人だけだろう。

そして英国人が不撓不屈の意志を持ち、それを誇りとしていることは、全ての英兵が個人の品位と生活様式に特別な注意を払っていることからも明らかである。彼らにとって品位とは、必然的に個人の意志に関わる問題であり、英国人にとっての生活様式は、快適さ以上の意味を持つと言ってもよい。

それは、自分自身に対する最も本質的な誇りに関わることなのだ。たとえばヒゲを剃らずに戦場に赴く英軍士官はいるだろうか。そんなことをしなければならないとしたら、その士官は自身の品位が非常に傷つけられたと考えるだろう。

そして実際、独軍の卑劣な手口や残虐行為に目を醒ましたのであるが、それまでは英兵たちは、戦争を、極めて長期に及ぶ極めて危険なものではあるが、一個の競技としてみていたのである。英兵は競技に臨むのと同じ態度で戦争に臨み、平素の競技において重んぜられるフェアプレーの精神を戦争に持ち込んだ。そしてその代償を、何度も何度も払わされることになる。

このように、英国はあくまで競技に対する態度を維持しようとしたのである。かのロンドン宣言は、法律として議会を通過したものではない。それにも拘わらず、英国はこの宣言を遵守し、何カ月も待ってから、トウモロコシと綿花を戦時禁制品として宣言したのである。

さらに驚くべきことに、戦争が始まった当初、ドイツ人が英国内を自由に通行することが許されていただけでなく、英国の軍艦はドイツ人の予備兵を本国に送還したのである。このような究極の騎士道精神は、他に例があるだろうか。

一方、英兵の頭には、独兵が戦時法規を守らない、実に卑怯極まる相手であると確信するまでは、独兵が憎いという考えは微塵もなかったのである。当初は「独兵はとても礼儀正しい連中だ」と書簡に記した英兵がいた。また、自分の監視している捕虜たちと握手を交わす英兵もいた。

そして、英兵が漸く独兵の不義に目を醒ましたときでさえ、彼らの感情を支配したのは驚愕侮蔑の念だけであった。しかしこの驚愕侮蔑の念は、英国がたとえ十年かかろうとも戦争を最後までやり抜くという決意を固める上で、非常に重要な要因となった。

英国にとって、残虐ドイツの膺懲は正義の懲罰であり、英国は罪を罰する神の手段なのである。そして実際、ドイツ人には勘違いをしてもらいたくない。英兵は戦闘の合間にサッカーを楽しみ、プロの戦闘集団として場違いな陽気さを平然と見せるが、これはやる気がないのではない。時間がどれだけかかろうがそんなことは頓着しない、ただ目的遂行のために全力を傾倒する決意を示しているのである。

事実を言えば、欧州戦争勃発後数カ月というもの、英国民の大多数はこの戦争を、何世紀も前からある、国力をつぎ込むこともなく日常生活をいつも通りに送れる、些細な植民地遠征くらいのものと見ていたのである。

だが、英国は少しずつ戦争の性質を理解し始めた。戦争は英国の危急存亡に関わるものであったのだ。建国一千年、英国は初めてかかる国難に直面したのである。英国が一大革新を国情の上に加えたのは、この危急に処するためであった。換言すれば、自由意志をもって戦争の従者となったのである。つまり、英国は先祖代々の遺産である自由を守るために立ち上がり、国民性の中の最も根源的なものに訴えかけ、ドイツという戦争機械に立ち向かっているのである。

そして、その訴えに対する確乎たる答えとして、英国は打倒ドイツへと突き進むのである。

『是でも武士か』解説　――敵を理解し「対日プロパガンダ」に対抗せよ！

大高　未貴（ジャーナリスト）

〝歴史は勝者によって書き換えられる〟と同時に〝敵が仕掛ける戦争以前のプロパガンダ計画〟と表裏一体だ。第二次世界大戦後、日本の経済はそれなりに復興したものの、いまだ国連の敵国条項からははずされておらず、戦後約八十年も経つのに日本には他国の軍隊が駐留し、大事なことは非公開で日米合同委員会で決定されている。

アメリカ在住の評論家・伊藤貫氏は「米国がＷＡＳＰの支配下にあるなどという認識は大昔の話。圧倒的な力を持っているのはユダヤ人であることは公然の事実です」という。実際に一九七六年にウォルター・ホワイト氏がハロルド・ウォレス・ローゼンタール氏（ジェイコブ・ジャヴィッツ上院議員の秘書官）にインタビューした際、ローゼンタール氏はこう述べている。

「正直申して我々ユダヤ人はキリスト教徒のアメリカ人がなぜいとも簡単に我々ユダヤ人の支配の手に落ちたのか、これに驚愕し続けているのだ。あっけないほど簡単に落ちたからだ。キリスト教徒のアメリカ人には我々ユダヤ人の出すあらゆる命令に服従することを教えたのだ。アメリカ人は簡単にこれに乗った」

「この国民（米国）はユダヤ人が支配者である限り、決して自由なる国民にはなれないだろう」

「ユダヤ人の勝利はマスメディアを我々が絶対的に支配しているからだ。ユダヤ人のコントロールするニュースに従うのを拒否する新聞はどの新聞も広告を拒否することで屈服させられる。世間には手ごわい企業もあって、その広告を出すなという我々の拒否命令を聞かず、我々は失敗することもあるが、そんな時には新聞の方に圧力をかけて、ニュースの印刷とインクの供給をストップすればよい」

ちなみにローゼンタール氏は他にもユダヤ人にとって不都合なことを縷々述べており、インタビュー内容が発表された数カ月後の八月十二日にイスタンブールにおけるハイジャック事件で不可解な死を遂げている。

圧力といえばロサンゼルスに拠点がある「ホロコーストの記憶を風化させないための施設」として有名な別名『寛容博物館』と呼ばれるSWC（サイモン・ウイーゼンタール・センター）が雑誌『マルコポーロ』の一九九五年二月号に掲載された西岡昌紀氏の記事「戦後世界史最大のタブー。ナチ『ガス室』はなかった」に圧力をかけ、文春は雑誌を廃刊にした。私は廃刊の理由を同業者から「広告主に圧力をかけられたから」と聞いている。同様の圧力といえば、終戦直後、朝日新聞が「たとえ戦争に負けても臆せず主張すべきことは主張しよう」などと実に威勢のいい論説を掲げたが、GHQに〝こんな調子なら紙もインクも配給を止める〟と脅かされ、自社の存続を図るため、急遽糾弾の矛先を旧日本軍に向けたのは有名な話だ。

本書『是でも武士か』は、第一次大戦時に英国がドイツに仕掛けた〝ドイツ軍による残虐非道な「ベルギー大虐殺」〟のでっち上げ本を現代語訳にして復刊したものだ。何故いま復刊されたのかといえば、実は令和六年、日本は国際社会において反日歴史戦で大きな山場を迎えるからだ。アメリカで二〇二四年三月に出版された『ジャパンズ・ホロコースト』という本は、既に民間レベルでは悪質なプロパガンダだったと決着済みである慰安婦問題や南京大虐殺などを持ち出し、天皇陛下をターゲットにしているのだから開いた口が塞がらない。

この本の詳細は後述するとして、戦勝国などにデッチ上げられた旧日本軍の戦争犯罪に対する贖罪意識をこれ以上子供たちに背負わせてはならない。日本軍は世界でも有数の軍規が厳しかった軍隊だ。例えば明治三十三年、北京で起こった義和団事件の際、駐在武官として派遣されていた柴五郎は、二カ月間のろう城戦を指揮し、そのモラリティーの高い勇敢な行動で、各国から称賛を受けた。日英同盟が締結された理由の一つに、当時の日本軍の規律の正しさが高く評価されたといわれている。

私はすべての日本軍が清廉潔白だったと主張しているわけではない。実際に軍規違反した者は軍法会議で厳しく処罰されている。とはいえ、〝旧日本軍が朝鮮人女性を強制連行して性奴隷にした〟などという荒唐無稽な作り話は、活動家らが慰安婦だった女性たちを利用した資金集めの〝国際詐欺劇〟だったということを近年、『赤い水曜日』の著者である金柄憲（キムビョンホン）氏が指摘している。とはいえ慰安婦問題の嘘の封印が解かれるまでに三十年近くの歳月を要し、日本の教科書にも記載され、一度削除されてもまた復活したように、問題は実に根深く油断大敵だ。

金柄憲氏のみならず、歴史戦において今までプロパガンダの解明を試みた知識人や大学教授、ジャーナリストなどはスラップ訴訟などで嫌がらせをされ言論封殺の憂き目にあってきた。大きな嘘は大声で要所要所に配置されたキーパーソンらが組織的にプロパガンダを行うことによって、いつの間にか定説にされてしまう。それを覆すのは痴漢の疑惑を向けられた人の冤罪を晴らすかのような時間と労力と苦痛を伴う。

従って『ジャパンズ・ホロコースト』には日本人が一丸となって対峙すべきだ。そのためにも、復刊された百年前のプロパガンダの原典を再読することは、情報戦に打ち勝つために極めて大事なプロセスとなる。

現在進行形の情報戦、国民が知らない六兆円のウクライナ支援

今から百年後に令和六年を大局的な視点から考察すれば〝日本がようやく米国の呪縛から解放され、密かに独立の道を選択して歩みはじめた〟もしくは、〝世界は米国一極覇権主義VS多極化の世界に突入し、日本は沈みゆく米国に従属したまま沈没し、アジアの覇権を中国に奪われた〟という〝天下分け目の決戦〟に生きていたということがわかるであろう。

前者を選ぶのであれば、まず最初に我々に仕掛けられている情報戦のカラクリを知ることが大切だ。本稿執筆中の令和六年二月においても、スパイ防止法のない日本に様々な情報戦が仕掛けられている。

ウクライナは今年、約四百三十九億ドルという記録的な財政赤字に陥る見通し。ウクライナ当局はその大部分を同盟国からの援助で賄う考え。（略）

ウクライナ財務省は一月三十一日、日本から三億九千万ドルの援助を受け取ったと発表した。これは一月にウクライナが同盟国から受けた唯一の援助だったという。

日本政府は今月十九日、ウクライナに追加で百五十八億円の無償資金協力を行うことを正式決定した。日本政府はこれまでに人道、食糧、金融、財政分野など総額七十六億ドル（約一兆千三百五十億円）のウクライナ支援を行っている。これには無償支援や円借款のほか、世銀を通した債

務保証も含まれる。(「スプートニク日本」二〇二四年二月二十九日)

日本は中国や北朝鮮などの核武装国に囲まれている。ところが我が国を護るはずの〝核の傘〟の実態は穴だらけだと専門家らに指摘されて久しい。元内閣参事官・嘉悦大教授の高橋洋一氏は今後、日本が六兆円の負担をするはめになる可能性も指摘している。日本の年間国防費約五兆円、さらにGDP比二パーセントへのアップで財源確保をどうするのだ?と大騒ぎしていたマスコミは、ウクライナ支援については何故か沈黙を保っている。

ウクライナは今年の国家予算が約三兆三千五百億フリブナ(十三兆円超)。その財源は税収が約一兆八千億フリブナ(七兆円程度)、残りの約一兆六千億フリブナ(六兆円程度)は支援国からの援助など—となっている。(略)米・EUでは「支援疲れ」もあり、支援継続が難しくなっている。それぞれの見通しが出る中、残りの非軍事についてはすべて日本となることも考えられる。(「ZAKZAK」二〇二四年二月十日)

実際、一月にウクライナ支援をした同盟国は日本だけで、三億九千万ドル(約五百八十六億円)の援助をしている。一月といえば能登の大地震が起こり、いまだ震災の傷跡に苦しんでいる人たちは多い。支援の優先順位を間違えていないだろうか?

先に紹介したウクライナ支援の記事はスプートニクなので、ロシアのプロパガンダの可能性もあるかと思い、外務省に確認したが七十六億ドルは正しいという。他にも拠出しているのなら全体の数字や割り当てを知りたいと言うと「拠出の時期も異なるので、きちんとした統計はなく、外務省のウェブサイトに発表される記事をもろもろ参考にして欲しい」という。わざと国民に一目瞭然にしていないのではなかろうか、とも勘繰りたくもなる。

一体、このことをどのくらいの日本人が知っているだろうか？

ウクライナ復興会議が行われた二月十九日といえば納税者は確定申告に追われる時期と重なって、政治家のパーティ券収入不記載問題などがクローズアップされ、政治家の数百万、数千万円の裏金に庶民の怒りの矛先は向かっていたが、ウクライナ復興支援に血税がどのくらい投入されているのか、日々の生活に追われた国民が知る術はない。

何故ウクライナ復興支援の全貌が明らかにされないのか？

時系列にニュースをたどるとおぼろげながら見えてくることがある。

二月十四日　元米フォックスニュース・アンカーキャスターのタッカー・カールソン氏によるプーチン大統領インタビュー（初めて西側諸国にロシアの言い分が報道され、世界一の再生回数となった。もちろんロシアの言い分百パーセントではあるが、そこにはバイデン政権にとって不都合な真実が縷々述べられていた）

二月十六日　反政府活動家ナワリヌイ氏死亡　プーチン暗殺説の大合唱

二月十九日　日本でウクライナ復興支援会議

二月二十六日　ナワリヌイ氏〝死因は血栓によるもの〟ウクライナ情報当局発表

ナワリヌイの死亡により、西側のリーダーやメディアは一斉に〝悪魔のプーチン・ロシアを絶対に勝たせてはならない。自由と民主主義を守れ〟と報じた。ところが翌月にロシアの大統領選挙も控えているプーチンがこのタイミングでナワリヌイを暗殺するメリットが一つも見当たらず、アメリカの有識者からも〝暗殺は米ＣＩＡと英ＭＩ６がやった〟という疑惑が浮上し、ウクライナ復興支援会議も終わっていることもあって、あわててウクライナからナワリヌイ死去は暗殺ではなく血栓によるものと発表させたのではなかろうか？

ちなみにウクライナ戦争でアメリカの軍産複合体はボロ儲けだ。「グローバル・タイムズ」誌によると二〇二三年の米国防予算八千五百八十億ドルのうち、アメリカの主要軍需産業は国防予算の半分に近い四千億ドル（約六十兆三千億円）もの売り上げを得ている。

世界最大の資産運用会社で、軍需産業の資産運用も行うブラックロック社によれば、「戦争はビジネスにとっていいこと」「ウクライナ戦争は、（残念ながら）米軍（米国）にとっての金鉱だ」と二〇二三年六月にO'Keefe Media Group へコメントをしている。それだけ儲けたのなら、日本にウクライナ支援金拠出を強要せず、アメリカの軍需産業が支援すべきだと思うが、彼らはまだウクライナ人に「祖国防衛のために最後の血の一滴まで戦い抜け」とウクライナ戦争を継続させて利益を得ることに夢中なようだ。

以前、カリフォルニア州のオレンジカウンティーにあるボーイング社の重鎮の自宅を訪ねたことがある。セキュリティのため厳重に警備された高いゲートに囲まれた白亜の豪邸だった。食器はすべてバカラ。いかにアメリカという国がこれまで世界中に仕掛けてきた戦争によって潤ってきたのか垣間見たことを思い出さずにはいられない。

『是でも武士か』の背景

英国がプロパガンダにたけていることは歴史を振り返れば一目瞭然だ。かつての大英帝国の植民地は英国特有の分割統治（宗主国に怒りの矛先が向かわないよう、統治国を分断対立させて反英闘争を煙に巻く）により、統治していた国々に痛々しい内紛の火種を残している。ロンドンの大英博物館の収蔵品も世界各国から強引に運ばれてきたものばかりで〝盗賊博物館〟などと皮肉る輩も多い。にもかかわらず、第二次世界大戦の悪役は日独で、近年はブッシュ元アメリカ大統領が〝北朝鮮・イラク・イラン〟を悪の枢軸国と名指したのは記憶に新しいが、世界の悪役にイギリスがクローズアップされることは皆無だ。

イギリスは実に巧妙に情報戦を仕掛け、自国に批判が及ばない工作をしてきたことは歴史が証明している。『是でも武士か』がいかにプロパガンダ戦術のお手本となりえたかは、陸軍参謀本部嘱託池田徳眞（十五代将軍徳川慶喜の孫）が第一次世界大戦以降の欧米のプロパガンダを研究した著書『プロパガンダ戦史』（中央公論新社）で述べた「この一冊の本で、私のドイツ人観は一生歪められてしまった」という言葉でよくわかる。故にその斬新かつ強烈な内容から、日本の宣伝機関が対外宣伝の教科書としたのだ。外国のプロパガンダに騙されないためには残虐宣伝の技法を理解する必要がある。

池田氏は上掲書で、当時ドイツを徹底的に貶めたのはドイツ人に成りすましたユダヤ人だったという指摘をしているので紹介する。

第一次世界大戦のはじめにフランスが組織的に行ったプロパガンダで、第一に取り上げられているのが、『ジャキューズ（「われ糾弾す」の意）』という本だ。本の内容は「戦争犯罪者としてのドイツ皇帝、ドイツ政府、ドイツ支配者階級に対する徹底的な弾劾を行っている」というもので、著者は「一人のドイツ人」となっていたが、戦後その正体が判明した。なんと著者はリヒャルト・グレリンク博士というユダヤ系のドイツ人弁護士で、ドイツ著作家協会の法律顧問や一八九三年に設立されたドイツ平和協会の創立者の一人として副会長を務めていた人物である。この本は、はじめはドイツ語で書かれたが、まずフランス宣伝部がとりあげ、次にイギリスが協力して中国語を含む十カ国語に翻訳され、世界中に配布されたという。

続いて紹介されているのが、ヘルマン・レーゼマイヤー博士（ユダヤ人かどうか不明）で、『あるドイツ魂の叫び』と題されたパンフレットで以下のように述べている。

「今日のドイツ国民を人間と見ることをやめよ。この人間の姿をした動物、このドイツの悪魔の軛の下に身を屈するよりは、死んだほうがまだましではないか」

ドイツ人を動物に例えているが、イスラエルのガラント国防相は二〇二三年十月九日、ガザ地区を完全封鎖し、パレスチナ人との戦いを「動物のような人間」との戦いだと述べているのは単なる偶然か？

池田氏は、他にもユダヤ人の具体的な言論工作や、ドイツの新聞、雑誌などもユダヤ人の影響力下に置かれていたことに触れ、ドイツのプロパガンダに対する無策を以下のように評価している。

ドイツは武力戦ではまことに攻撃的であったが、それとは裏腹に、宣伝戦ではまったく受け身であった。対敵宣伝では、受動法がどんなにだめかという標本のようなものである。これが第一次世界大戦でドイツが我々に教えてくれた教訓である。

一体二十世紀とは何だったのかを静かに振り返ってみよう。二十世紀とはドイツ袋叩きの世紀だったのである。すなわち、ヨーロッパ一、ひいては世界一になろうとしたドイツとそれを必死で食い止めようとしたアメリカ・イギリスとの、国の興廃をかけての衝突だったのだ。

（略）日本の世紀が来ると聞けば、欧米人はそれだけで肝をつぶすに違いない。

（池田徳眞『プロパガンダ戦史』中央公論新社）

現在の日本人にとっても、耳に痛い警鐘であろう。

本書『是でも武士か』は、大正五年十二月に日本語英語表記のある日英合作本で丸善株式会社で発行された。池田氏は上述のコメント以外に本書を以下のように評価している。

この特殊な形式も優れているが、その宣伝内容も、他に比較するもののないほど斬新かつ強烈で、残虐宣伝 Atrocity campaign の教科書ともいうべきものである。この本の目的は、ドイツ人は条約を守らない侵略者で、そのうえ残虐きわまりない人たちだということを、日本人に強く印象づけようとしたもので、イギリスの宣伝秘密本部が日本を狙って撃ち込んできた、恐るべき宣伝弾丸である。（池田徳眞『プロパガンダ戦史』中央公論新社）

著者のロバートソン・スコット氏は、一九一四年から五年ほど日本に滞在し、自由主義者で農政専門の新聞記者だと名乗っていた。本書は三万五千部も売れたのだから当時にしてはかなりの部数で、英国の後押しもあったことが想定される。スコット氏は単なる農政研究者ではなく、夫婦そろって煽動の役割を担っていたと思われる。スコット夫人が、イギリスにおける女性の解放や女性の戦意高揚といった美談を当時の日本の雑誌に寄稿した論文も紹介したい。

（英国の）貴婦人は衣装に費やす金を省いて戦費に寄付し、馬を飼うことをやめ、自動車に乗ることを廃して、その費用を国家に捧げております。（略）今日は婦人が電車の車掌になり、自動車の運転手になり、大工になり、植木屋になり、機械職工になり、火薬製造所の職工になっております。男子のする仕事で女子に出来ぬということはほとんどないのでございます。（略）女工らは一日八時間働き一週間二十円から三十円の報酬を得ております。（略）。こういう気分は一般に行き渡っており、凄惨な働きの中に、愛国心と愛情と新しい尊むべき自覚とが潜んでおります。（「婦人週報」一九一七年十一月号）。

スコット氏は〝ドイツ人は悪魔だ〟と日本人の洗脳を試みた言論工作員だが、農村で金銭に潔癖で正直な農民（松本喜作）と接し、農民を「眼光犀利農人とは見えぬ人格者であった」と感想を漏らしている。イギリスのような階級社会で育ったスコット氏から見れば、農民の中にもこのような立派な人物がいたことに驚きつつ、自分がプロパガンダ要員であることは棚上げし、

自分はロンドン付近に生まれた者で、富を成す機会はこれまで幾度もあったけれど、これでは人格が賤しくなるから、農村社会問題の研究に没頭し、世人を救済せんと志し、常に清貧に甘んじている（略）。（『農聖松本喜作』昭和十一年発行 日本青年教育会）

などと臆面もなく自画自賛して語るところが、日本人にはとても真似できない芸当だ。

ともあれ、第一次世界大戦のドイツの悪印象はこのような人たちによって創られたのだ。そこで日本もドイツの二の舞にならぬよう、様々な角度から分析したユダヤ研究書が出されていた。だが、第二次大戦後、その手の多くの本は残念ながらＧＨＱによって焚書にされた。

対日歴史戦の黒幕を直視せよ

大半の日本人は慰安婦問題や徴用工、南京事件などを日本にしかけているのは朝鮮半島と中国共産党だと思っているはずだ。ところがそうでないことに気付かされたのは、二〇一三年にアメリカのロサンゼルス郊外グレンデール市に慰安婦像が建てられ、その取材に訪米したのがきっかけだった。

「一体何故、遠い昔に何千マイルも離れたところで起きたことを記念する像（慰安婦の碑）を建てたがるのか？　なぜグレンデール市なのか？」と不思議に思っています」と困惑気味に話すのは米カリフォルニア州のグレンデール市長デイブ・ウィーバー氏。彼は慰安婦像設置に反対だったが、残念ながら市議会の多数決で設置が決まってしまった。せめてもの抵抗でウィーバー市長は除幕式への参加を見送っている。

紙面の関係で詳しい内容は省くが、私はこの時、慰安婦像設置の動きが進んでいたブエナパーク市にも取材を試みた。驚いたことに現地の韓国系団体はブエナパーク市に「日本の宮古島にも慰安婦の説明板が設置されてある」といったロビー活動の文書を提出し、私はその原文を入手したのだが、これには巧妙な嘘が混じっていた。確かに宮古島に慰安婦の説明板は設置されているが、これは宮古市が公共スペースに公費で建てたものではなく、活動家らが集めた募金によって共産党員の私有地に建てられたものだ。

時期を同じくしてサンフランシスコにあるソノマ大学の抗日式典にも足を延ばした。主催は「世界抗日戦争史実維護連合会（抗日連合会）」という在米華僑団体。彼らはソノマ大学構内の庭にあるアウシュビッツの線路を模したホロコースト記念碑の線路の間に「日本軍によって三十五万人もの朝鮮女性が性奴隷にされた」と刻まれた石碑を埋め込み、あたかもホロコーストに日本が加担したかのような式典をやってのけたのだ。もちろん中国領事館や韓国領事館の職員も参列していた。

抗日連合会代表のピーター・スタネク氏は「我々の目的は日本軍の歴史について理解を深めることだ。平和はいま存在しない」と語気を強めた。彼は一九九四年に設立された抗日連合会で初の非中国系会長で、ソノマ大学教授のマギー・チャンの夫であり白人だ。抗日連合会の黒幕は実は副代表の華僑のイグナシアス・デインだが、白人をお飾りで会長にしているところが実に巧妙な手法だ。抗日連合会の英語表記にしても、漢字にあるアンチジャパン（抗日）を入れるとレイシスト集団に見られる危険性もあるため、あえてさしさわりのない〝Global Alliance for Preserving the History of WWII in Asia〟にしている。

サンノゼに本部を置く抗日連合会は、南京（虐殺）、捕虜虐待、七三一部隊、慰安婦などについて「日本に謝罪させ、賠償させる」ことを主目的とし、戦犯裁判や対日講和条約での日本の責任受け入れを一切認めていない明白な反日組織。二〇〇七年に米下院で慰安婦決議を実現させるなど、全米でみられる反日運動の主導的役割を担う存在として知られていた。式典後、ピーター・スタネク夫妻に取材したが、「私は中国の南京大虐殺記念館に行った。日本の天皇もそこに行って膝をついて中国人に謝罪すべきだ」とスタネク氏は言う。元ロッキード・マーチン社の社員で東アジアの複雑な歴史などどこまで理解しているのか甚だ疑問であったが、無知だからこそこんな発言が出来るのだと思わずにはいられなかった。また、戦時中に中国・広東で幼少期を過ごしたという妻のジーン・チャン氏に「イギリスは阿片戦争で中国人をさんざん苦しめました。歴史問題で抗議するのであれば、あなたはいずれイギリスにも賠償請求を起こしますか？」と問うと「その質問には答えたくない」と逃げられてしまった。なんともダブルスタンダードでトンチンカンな夫妻だ。

式典では在米韓国人が慰安婦プロパガンダの小冊子を配っており、表紙には「性奴隷にされた朝鮮人女性　第二次世界大戦の忘れさられたホロコースト」と書かれていた。

何故、ユダヤ人はアジアの活動家が恣意的に「ホロコースト」を乱用するのを黙認しているのか？

多くのユダヤ人は〝ホロコーストの悲劇は唯一無比のユダヤ人のみに起こった惨劇〟と主張している。そこで私は前述のSWCアブラハム・クーパー所長に取材をした。ここはホロコースト（ユダヤ人大量虐殺）の記録保存や反ユダヤ主義の監視を行い、国際的なネットワークを所有している。

取材の主な目的はアイリス・チャンが書いた『レイプ・オブ・南京——第二次世界大戦の忘れ去られたホロコースト』のサブタイトルに「ホロコースト」という言葉が使用されていることについてだった。一九九七年に発刊されたこの本はワシントン・ポスト、ニューヨーク・タイムズといったアメリカの主要新聞などが大きく紙面でとりあげ、チャンの主張を詳細に紹介した。また、ニューヨーク・タイムズのベストセラーリストに十週間掲載されていたし、世界の主だった空港の書店の棚にも当時は目立つ位置に置かれていて、それを目撃した私は陰鬱な気分になった。というのも本の内容が正確なものであれば致し方ないが、発刊後、多くの有識者や大学教授などから事実誤認や盗用疑惑、写真の誤用などが指摘され、プロパガンダ本としてもお粗末極まりない代物だったからだ。こんな本によって日本の戦争犯罪がでっち上げられ、世界に拡散されているのは許容の範疇を超えている。

大高　アイリス・チャンが書いた『レイプ・オブ・南京』のサブタイトルに「ホロコースト」という言葉を使うのは不適切ではありませんか？

クーパー　「ホロコースト」という言葉は、正しくは一九三九年から一九四五年までに行われた「ナチ政権」によるユダヤ人への虐殺（ジェノサイド）に対してのみ使われるべきです。だからといって誤解してもらいたくないのは、南京で起こった恐怖の事件は、多くの難民や無垢な人々が殺されたという「人道に対する犯罪」として理解されるべきであり、これは日本の「歴史上の恥・汚点」として捉えるべきです。南京で起こったことは「ホロコースト」ではありませんが、十分に憎悪されるべきことです。

大高　繰り返しますが、南京はホロコーストではありませんか?

クーパー　「南京大虐殺」は「ホロコースト」ではありません。私のコメントをテレビで流すのであればよく注意して聞いてください。「南京」は「ホロコースト」ではなく、「人道に対する犯罪」なのです。

クーパー氏は私が〝南京大虐殺は国民党の情報宣伝部が仕組んだプロパガンダをのちに中国共産党が悪用したものだ〟と言っても全く聞く耳を持たず、慰安婦プロパガンダの活動家らもSWCで講演させたことなどを挙げ、「日本人は歴史修正主義に陥ることなく、歴史を直視すべきだ」といった趣旨の発言をし、押し問答が続いた。それでもアイリス・チャンについて質問を続けると、こう言った。

クーパー　アイリス・チャンには十回以上会ったことがあります。もし彼女が事前に本のタイトルについて相談してくれたのであれば、私は〝ホロコースト〟を入れるのは適切ではないとアドバイスしたと思います。

二〇二三年十月七日のハマスによるイスラエル攻撃に単を発したイスラエルVSガザ紛争は、悪化の一途を辿っている。南アフリカはイスラエルがガザで集団虐殺(ジェノサイド)を行っているとして、国際司法裁判所にイスラエルを提訴。ブラジルのルイス・イナシオ・ルラ・ダ・シルヴァ大統領やコロンビアのペトロ大統領もイスラエルの行為を「ガザのホロコースト」になぞらえた。

諸外国の要人がイスラエルのパレスチナに対する行いを〝ホロコースト〟だと表現したらいち早く激しい抗議活動を起こすのがSWCだが、日本への悪質なレッテル張りには随分と鈍い反応で、言葉では否定しているものの、心の奥底では賛同しているのではないかという印象をぬぐい切れなかった。そしてインタビューの中で我が耳を疑う驚くべき発見があった。

この後、クーパー氏はなんと第二次世界大戦末期に来日した中国人グループが日本に対して起こした裁判を傍聴するため、わざわざ来日したというのだ。そのインタビュー内容を紹介する前に、何故在米ユダヤ人が日本の戦後補償裁判を注視していたのか、別の角度から考察したい。

「日本もドイツに見習って財団を作れ！」のシナリオを書いた弁護士はオウムの擁護人だった！

朝鮮人戦時労働者や慰安婦問題でもサヨク活動家は口を開けば「日本もドイツに見習って財団を作り、韓国人に補償すべきだ」と念仏のように唱え続けてきた。

ところが、第二次世界大戦において日本はナチス・ドイツとは同盟関係にあったとはいえ、異なる存在だったので、同じ土俵にのせて「財団を作れ」といった議論そのものが成り立たなかった。戦後処理に関しても東西分裂したドイツとは違い日本は、サンフランシスコ平和条約等で国家間における賠償等の問題を一括処理している。にもかかわらず、昨年の朝鮮人戦時労働者韓国最高裁判決において、およそ国際社会に通用しないウルトラC判決が下された。韓国最高裁が〝日本統治不法論〟という奇怪な観念を持ち出し、戦時労働者問題を人権問題に化けさせてしまったのだ。

日本統治不法論については八〇年代から東大名誉教授の和田春樹氏や作家の大江健三郎氏などが主張しているが、ここでは同様の主張をしているアメリカの反日活動家に焦点をあててみたい。以前、ジャーナリストの髙山正之氏と雑誌の対談をした際、髙山氏が興味深い指摘をした。

簡単に要約すると、アメリカのロサンゼルスを拠点にして活動しているバリー・フィッシャー弁護士はドイツのユダヤ人への償い財団設立の立役者であるが、その彼は米国でも一九九九年に同様の補償請求運動を起こし、なんと戦時中に捕虜だった米兵などから日本企業相手に訴訟が起こされた。その規模は一兆ドル(約百二十兆円)にも及ぶものだった。幸いなことにこういった訴訟を後押しするヘイデン法は連邦地裁で却下され事なきを得たが、賠償ビジネスに飽き足らないフィッシャー氏は二〇〇〇年に平壌に飛び、金正日に日本から戦後賠償を取り立てる方法を入れ知恵した。そのためにもやましいこと(拉致問題)を解決しておけと助言され、二〇〇二年の小泉訪朝の際に北が拉致を認めたというのだ。

さらに髙山氏は大事な指摘をした。

「一連の訴訟に関し、米連邦裁判所は、すでにサンフランシスコ講和条約で解決済みだとして却下した。実をいうと米政府はこの問題にあまり触れられたくない事情があったのです。というのも、ジュネーブ協定で使役を認められた兵士も含めて『すべての捕虜が虐待された』(講和条約十六条)ことにして、中立国にあった日本の資産を接収していた。これは明確な国際法違反でそれが掘り返されるとまずい、という判断があった」

そこでバリー・フィッシャーを調べてみると興味深いことが判明した。在米ジャーナリストの高濱（たかはま）賛（たとう）氏が「SAPIO」二〇〇二年二月二十七日号に寄稿した記事をまとめてみる。

抗日連合会の二〇〇二年一月二十三日付プレス・リリースに以下の記事があった。

> 二月九、十両日、上海の華東政法大学と抗日連合会との共催で「第二次大戦の補償問題に関する国際法律会議」が開かれ、アメリカからは同会の中国系幹部らのほか、日本企業を相手取った集団訴訟原告団のバリー・フィッシャー弁護士らも参加する。
>
> 一行は「侵華日軍南京大屠殺遇難同胞紀念館」を訪れるほか、七三一部隊による人体実験や生物細菌化学兵器実験の実態についても現地調査したいとしている。

反日気運をここまで高めた『レイプ・オブ・南京』の著者、アイリス・チャン氏も活動範囲を広げている。すでに東部を中心とする米論壇でも認められ、南京大虐殺問題だけにとどまらず、日米関係でも何か起こると米メディアに登場している。

沖縄のレイプ事件で米兵が沖縄県警に逮捕された二〇〇一年七月には、「ロサンゼルス・タイムズ」（二〇〇一年七月三十一日付）に前述のフィッシャー弁護士との連名で論文を寄稿した。

日本は第二次世界大戦中に多くの中国人、韓国人女性をレイプしていながら一切謝罪すらしていないにも拘わらず、一人の沖縄人女性が暴行されると逮捕すると騒ぎ立て、米政府も受け入れている。

さらに昨年末、上下両院で可決成立していた二〇〇二年会計年度歳出法案付帯条項がホワイトハウスの反対で削除されたのを知るや、「ニューヨーク・タイムズ」（二〇〇一年十二月二十四日付）に投稿、「パール・ハーバーで戦死した米兵のことは忘れぬと言いながら、戦時中日本企業に強制的労働をさせられた元米兵捕虜の損害賠償をブロックするブッシュ大統領のダブルスタンダードは許し難い」と批判したりしている。

アメリカの新興宗教「サイエントロジー」のウェブサイトには、〝統一教会もフィッシャー氏のクライアント〟と紹介されている。実はフィッシャー氏はオウム真理教まで擁護し、オウムの発行した機関誌に救世主のごとく紹介されているのだ。さらに最近のフィッシャー氏の経歴を検索すると、警告ランプが点灯するサイトがあったり、弁護士登録料支払いを怠り数週間〜数カ月資格停止を受けたり、仕事内容に問題があったことも指摘され、評判は最悪だ。この結果、アメリカではまともな弁護士とは認識されず、抗日連合会の顧問弁護士くらいしか職がなかったということなのだろうか？

このような弁護士が二〇〇〇年前後に百十兆円規模の対日戦後補償を仕掛け、アメリカの主要マスコミが『レイプ・オブ・南京』を持ち上げていたのだから、これを出来レースといわずになんと表現すればいいのか？
ちなみにフィッシャー氏は、二〇二三年四月に「自身の両親がホロコーストの生存者だ」という内容が書かれた『Through My Father's Eyes』という書籍を出版し、「離婚弁護士」として名をあげながら、現在はビバリーヒルズに住んでいるという。

ＳＷＣクーパー氏が裁判傍聴のために来日した理由

長々とホロコーストの賠償金を専門とするバリー・フィッシャー弁護士の話を紹介したのも、こういった一部のユダヤ人の戦後補償問題に関する取り組みを理解しないと、何故ＳＷＣのクーパー氏がわざわざ中国人の日本訴訟を傍聴するために来日したのか理解できないので、途中に説明を入れさせていただいた。

大高　先ほど、あなたは日本は中国などと共同で歴史研究すべきだとおっしゃいました。しかし中国のような一党独裁国家が民間の研究に協力するのか甚だ疑問です。

クーパー　ええ、その通りで、あなたは大変興味深いことを提起されました。数年前に中国人のグループが日本の占領期に彼らの家族が何をされたか、という問題の訴訟を日本の裁判所に起こしました。私もこの裁判を傍聴するため訪日しました。そこで重要なことを二つ発見しました。第一に、彼ら中国人の原告の訴えは却下され、賠償金は得られませんでした。とはいえ第二に、ある意味彼らはこの裁判に勝ったとも解釈出来るのです。何故なら民主主義国家の日本の裁判を利用し、日本人の若い世代に過去に起こったことを教育することができたからです。そして帰国した中国人はまさに日本において「民主主義」を体験したのです。自国の「共産主義政権」下では裁判は起こせませんからね。ですから、この中国人達は裁判には負けましたが、彼らの受けた苦難は裁判を通して日本の人々に広がり理解されたのです。これは日本が「民主主義国家」であるから可能だったことです。中国では彼らはそのような権利を持ち得ません。ですからその意味であなたの疑問には同意します。

私の指摘したい重要なポイントは、もし今日本政府が「第二次世界大戦中の公文書を全て公開する」と発表すればアメリカや他の国も同様の行動を取るでしょう。そして中国に対して「さあどうする？　他の国々は公開したぞ」と問い詰めることができるのです。そのあとは中国自身の問題となるのです。他国と協調し公開に踏み切るのか、それとも拒むのか。もし拒んだら、その時こそ「見ろ、中国は七十年前、八十年前、九十年前の歴史の事実を解き明かすことを拒んで協力しないぞ」と世界の人々は見なすことでしょう。これこそが、日米間の「民主主義の価値観」の絆の強さを示すことであり、逆に中国の「共産主義」の限界を露出させることになります。ですから、今安倍政権（当時）が「歴史的公文書を公開する用意がある」と発表するだけで、数知れぬ世界中の若者の共感を得ることと私は信じています。

クーパー氏は悦に入ってご高説を垂れ、繰り返し「日本は中国を侵略した」というので、

大高　当時、満洲は日本の保護国でした。日本人が匪賊に襲われる事件が多発し、日本軍は日本人の居留民を保護するために駐屯しました。ですので駐屯は合法です。

クーパー　わかりました。もうインタビューは終わりです。あなたは知的な女性だが、今日において日本が中国にした事は合法的だ、などとはまったく非論理的です。

あなたは良い人だが、知性を持つ人は、我が国は「侵略」したのではなく、自国民を保護するため中国という国を「合法的に侵略した」などとは決して言いません。これは「歴史の専門家であるかどうか」の問題ではありません。

そう語気を強めた。

ちなみにクーパー氏は「原爆投下は戦争犯罪だと思っていません」（『新潮45』二〇〇〇年十二月号）とコメントしているだけでなく、故・安倍晋三元首相の靖国神社参拝を「倫理に反している」と非難する声明を発表。南京については、アイリス・チャンのみならず朝日新聞の本多勝一氏（南京事件を検証もせずに中国のプロパガンダをそのまま紙面で展開した。写真の誤用も発覚し後に認めた）も同センターに呼んで講演をさせている。

これが本当の〝日米間の民主主義の価値観の絆の強さ〟の証なのか、判断は読者にゆだねたい。

悪夢の米民主党政権時代

なぜ「アジアン・ホロコースト」という造語が広められたのか？

この謎を解くためには米民主党政権時代に遡らねばならない。一九九三年クリントン政権発足の翌年、まるで足並みをそろえるかのように世界抗日戦争史実維護連合会（抗日連合会）が発足する。

抗日連合会は一九九四年に、中国政府と連携した中国系米人たちによりカリフォルニアに本部が設立された。『日本に戦争での残虐行為を謝罪させ、賠償させる』ことを主目的とし、南京、捕虜虐待、七三一部隊、慰安婦を挙げてきた。戦犯裁判や対日講和条約での日本の責任受け入れを一切、認めない点で明白な反日組織である。（「産経新聞」二〇一三年八月三十一日）

一九九七年には中国系アメリカ人のアイリス・チャンが『レイプ・オブ・南京――忘れられた第二次世界大戦のホロコースト』を発刊する。一九九九年には第二次世界大戦中のナチスや日本の「強制労働」の賠償を可能にする悪名高いヘイデン法が施行され、日本企業相手に総額百十兆円を超える訴訟が起こされた。この法案の後押しをした一人がマイク・ホンダ元議員で、彼は抗日連合会が推薦した人物だった。ホンダが推進した二〇〇七年の一二一米下院対日非難決議案にはこうある。

日本政府による強制的な軍の売春である「慰安婦」制度は、その残酷さと規模において前例がないものであり、集団強姦、強制中絶、陵辱、性的暴力の結果、身体切除、死、あるいは自殺に至った、二十世紀最大の人身売買事件の一つである。

「慰安婦問題」に関しては、米国の各省庁作業班（ＩＷＧ）が調査を行ったが、米国のジャーナリスト、マイケル・ヨン氏と産経新聞がこんな報告をしている。

慰安婦たちの主張を裏付ける証拠を求めて、米政府は三千万ドル（三十億円超）の費用を掛けて調査を行った。約七年の歳月を掛けて、大勢の米政府職員や歴史学者が過去の公文書を徹底的に調査した結果、有力な証拠は何一つ見つからなかった。

このＩＷＧに調査を促していたのが抗日連合会だ。

大高　ところでＳＷＣは抗日連合会と付き合いが深いのですか？

クーパー　抗日連合会と協力関係にあるのかって？　まあ、何人かは知っていますし、メールも受け取ります。

大高　抗日連合会は元来、国民党が母体であり、国民党はナチ政権と協力関係にありました。

クーパー　私がここで指摘したいことは、毎日四百通のメールを受信し、その内いくつかは彼らからのメールですが、彼らは決して中国のチベットに対する「人権侵害行為」を非難することはありません。ＳＷＣはいかなる組織の支配下に属するものではないのです。アメリカは民主主義国家であり、言論の自由があります。たとえ「うそ話」でも何をどのように発言するかは自由なのです。しかし私の理解では、彼らは中国政府の人権侵害、抑圧、虐待に対し、いかなる非難声明も発表したことがない、ということです。

クーパー氏は抗日連合会との関係性をやんわりとごまかしているように思えた。というのも彼の動きは抗日連合会と表裏一体だからだ。

一九九〇年代に入ってからクーパー副館長は七三一部隊の賠償についてのキャンペーンを積極的に展開し、アメリカ司法省は一九九六年十二月、七三一部隊や従軍慰安婦動員に関与したといわれる旧日本軍関係者を入国禁止処分にした。一九九九年十月には、「彼ら（日本）の行為はその残虐性と堕落の程度においてナチス・ドイツに決して劣るものではない」とマスメディアに述べている。

『是でも武士か』の復刊と時期を同じくして、『ジャパンズ・ホロコースト』がアメリカで刊行された。サブタイトルを読まなければ、『ジャパンズ・ホロコースト』は第二次世界大戦末期に米軍によって広島、長崎に原爆投下された日本の悲劇を描いた本だと思うであろう。しかしメインタイトルの下に目を疑う文字が並ぶ。「第二次世界大戦中の大日本帝国による大量殺人と強姦の歴史」。まるで『レイプ・オブ・南京』の焼き写しだ。戦後一貫して日独を〝永遠の敗戦国〟に貶め続けておきたい勢力がいることは確かだ。それらは、戦後賠償として敗戦国から手を替え品を替えて戦後賠償金をむしりとり続け、心理戦でも二度と日独が反旗を翻さないよう、徹底した自虐史観で呪縛することを目的としている。何故か？　その歴史の紐解きは第一次世界大戦にまで遡る必要があるので順を追って説明してゆきたい。

まず最初に慰安婦問題に関しては、苦節三十年、多くの日本の保守論客が反論反証を試みてきたが、韓国は反日喧伝組織のＶＡＮＫなどに巨額の国費を投入し、片や日本側は手弁当での応戦を余儀なく強いられ、結果は推して知るべしといった状況が続いていた。日韓の反日活動家らはキリスト教を隠れ蓑に活動していたので、その国際ネットワーク力は決して侮れないものだったのだ。

八〇年代後半から朝日新聞を中心として南京大虐殺や所謂従軍慰安婦といった反日プロパガンダが国内外の活動家らによって声高に叫ばれ、慰安婦報道で吉田清治証言（日本軍が朝鮮人女性を強制連行して慰安婦にした）を虚偽と認め、白旗を掲げたのが二〇一四年。日本国内ではほぼ決着がついたものの、国際世論の是正はままならず、ようやく日本の名誉が回復されたのは二〇二〇年十二月にハーバード・ロー・スクールのＪ・マーク・ラムザイヤー教授が学術誌に「太平洋戦争における性契約」という論文を発表し、慰安婦は性奴隷ではなくきちんとした契約のもとに仕事をしていたということを立証したからだ。

また、時期を同じくして韓国でも国史研究所所長の金柄憲氏が過去の報道記事などを丁寧に分析し、『赤い水曜日――慰安婦運動三十年の嘘』（文藝春秋）を二〇二二年に出版。韓米で慰安婦プロパガンダを糺す論文が出され、ようやく反日活動家らもトーンダウンしはじめた矢先の『ジャパンズ・ホロコースト』発刊だから、まさに日本人には寝耳に水の奇襲攻撃だ。

このような毒々しい本を紹介するのも気がひけるが、著者の経歴や出版社の力量、書評を書いている面々をみると所謂〝トンデモ本〟のカテゴリーに入れるには厳しく、どちらかといえばまことしやかな学術本に達しているかのような涼やかな装いを保っているので、実に厄介だ。出版社は全米最大手のユダヤ系出版社で、著者のブライアン・マーク・リッグは、アメリカ陸軍大学、南メソジスト大学、ウエストポイントの陸軍士官学校などの教授を務め、米主要メディアにも寄稿している。イエール大学卒業後、ヘンリーフェローシップから助成金を受けてケンブリッジ大学博士号を取得したとのこと。

本紹介概要欄にはこうある。

『ジャパンズ・ホロコースト』は、一九二七年から一九四五年までのアジア・太平洋戦争における日本の残虐行為について、五カ国の一八以上の研究施設で行われた調査を統合している。本書は、日本がヒトラーのナチス・ドイツをはるかに上回る三千万人以上を虐殺したことを確認するために、最新の学問と新しい一次研究をまとめたものである。『ジャパンズ・ホロコースト』は、天皇裕仁が自らの軍隊が行った残虐行為を知っていただけでなく、実際にそれを命じたことを示している。天皇は、南京大虐殺や他の多くの事件で示されたように、最も堕落した人間の想像力をも超える残虐行為を行っても、それを止めることは何もしなかった。『ジャパンズ・ホロコースト』は、南京大虐殺がアジアでの戦争中の孤立した出来事ではなく、むしろ一九二七年から一九四五年までアジアと太平洋全域で日本が行った全ての作戦を代表するものであったことを、痛ましいほど詳細に記録している。

大量殺人、強姦、経済的搾取がこの時期の日本の手口であり、ヒトラーの親衛隊が残虐行為を隠そうとしたのに対し、裕仁の軍隊は残虐行為を熱狂的に公然と行った。さらに、ドイツが第二次世界大戦後、その犯罪を償い、記録するために多くのことを行ってきたのに対し、日本はその犯罪に対する賠償と、戦時中の過去について国民を教育する努力において、全く恥ずべきことを行ってきた。驚くべきことに、日本は概して、犯罪者と戦時中の過去を美化し続けている。

著者が打撃を与えようと意図する本丸は「裕仁天皇」つまり昭和天皇だ。西側首脳陣やダボス会議に蝟集する資本家たちといったグローバリストにとって、自分たちが描く世界統一に邪魔なものが国境や固有の伝統文化に回帰する国民意識であり、その最深部に存在しているのが天皇と日本なのだ。問題の『ジャパンズ・ホロコースト』の書評は以下のようなものだ。

「ブライアン・リッグは、第二次世界大戦中のアジアと太平洋における日本の行動について、情熱、力強さ、才能を持って執筆し、またしても卓越した戦史家であることを示している（略）」マイケル・ベレンバウム、『世界は知らなければならない：米国ホロコースト記念博物館で語られるホロコーストの歴史』の著者、アメリカン・ジューイッシュ大学ユダヤ研究の著名教授

「第二次世界大戦のホロコーストに関する議論のほとんどは、ナチス・ドイツが行った残虐行為を中心にしている。大日本帝国によって犯されたホロコーストは、ほとんど研究されておらず、認識すらされていない。歴史家のブライアン・リッグは、彼の徹底的な研究の中で、おそらくこの主題に関する決定的な研究を文書化した。（略）『ジャパンズ・ホロコースト』は、第二次世界大戦を学ぶすべての学生にとって必読の書である」米海軍退役大尉リー・R・マンデル

何故、ユダヤ人がこの時期に反日本を出したのか？

悪化の一途を辿るイスラエルVSガザ紛争。本稿を書いている二月末の時点で、ガザの住民は女性と子どもを中心にこれまでに三万人以上が殺害されている。ハマスの攻撃による人質を含むイスラエル人犠牲者が約千四百人だとしても、ガザを壊滅寸前まで追い込んで戦闘を継続しているイスラエルに対する国際社会の目は日に日に厳しさを増している。

確かにガザのハマスが千四百人ものイスラエル人を奇襲攻撃して殺害、人質にとった行為は決して許されるべきことではないが、その報復にイスラエルは〝集団懲罰〟と称してガザ進攻の手を緩めず、「ガザで四肢切断の子ども千人、不十分な医療で苦痛と喪失感」（ロイター二〇二四年一月九日）といった聞くに堪えないニュースや映像が流され、国際社会からイスラエルは孤立の道を歩んでいる。

私は個人的にイスラエルが好きで、二十九歳の時にヘブライ大学で寮生活をしながら夏のジャーナリズム講座を受講したことがある。ガザやヨルダン川西岸の取材もし、ＰＬＯの腐敗やイスラエルの

苦悩も見聞きして記事などを書いたこともある。大半のメディアが「強者イスラエル＝悪、弱者パレスチナ＝善」の図式でステレオタイプな報道に徹していたことに強い違和感を覚えていた。

とはいえ、二〇二三年のイスラエルのガザへの報復にはいくつもの疑問が湧いてくる。世界で最も優秀な諜報機関といわれるモサドが、果たしてハマスの攻撃を本当に事前に知らなかったのか？　何故、十月七日の一週間前にテルアビブ証券取引所で株の空売りが行われ十二億円近くの利益を得た人がいたのか？　ガザを壊滅させて米英イスラエルが結託してガザ沖のガス田を奪うことが最終目的ではないのか？　様々な疑問が湧いてくる。

イスラエルのガザ大規模攻勢を正当化する理由は、十月七日のハマスによる集団強姦と赤ん坊四十人の斬首という凄惨な暴力行為だった。その後、集団レイプに関しては、ニューヨーク・タイムズの記事「言葉のない叫び：ハマスが十月七日にいかにして性暴力を武器化したか」（二〇二三年十二月二十八日付）に捏造疑惑が生じた。被害にあったと書かれた女性の親族が、この強姦を否定したのだ。その記事を書いたのは、ジェフリー・ゲトルマン、アナト・シュワルツ、アダム・セラである。

彼らの主な情報源はZAKA（イスラエルの民間ボランティア組織）だったが、ZAKAには「十月七日に首を切られた赤ん坊と死んだ女性の子宮から切り出された胎児を見た」（ヨッシ・ランドー氏）との証言が「信憑性に欠ける」とイスラエル紙「ハーレツ」に指摘されるなど、他にもいくつもの虚偽を拡散している疑惑がある。これについては、マックス・ブルメンソール氏がグレイゾーンというサイトで「スキャンダルに染まったイスラエルの『救出』グループが十月七日の捏造を煽る」と題して詳しく解説をしている。

ところが、こういった批判を払拭するかのようなニュースが今年三月五日に世界を駆け巡った。

「ハマスの性暴力疑惑『信じるに足る合理的根拠』＝国連報告書」（ＢＢＣ）

タイトルだけみれば、やはりハマスは性暴力を犯していたのだと思ってしまう。そこでＡ４判で二十四ページに及ぶ国連報告書を読むと、気になる点がいくつかあった。プラミラ・パッテン氏代表の調査チームはイスラエル政府の招待にもかかわらず被害者の誰とも面談できていなかったのだ。イスラエルがニューヨーク・タイムズなどの捏造疑惑を晴らしたいのであれば、何故、調査団を被害者やその家族に会わせなかったのか？

逆に、調査団はパレスチナ側にもヒアリングを試み、「イスラエル兵が拘束中のパレスチナ人に対して、あるいは家宅捜索や検問所において、パレスチナ人の男女に性的暴力を行ったという情報を得た」と報告している。

忙しい現代人は、よほど興味がない限り、マスメディアが垂れ流す見出しくらいしか目を通さない。細かく報告書まで読まなければ、今回の国連の調査がいかに曖昧模糊としたものであり、真相究明に至ってないものだということがわからない。

今年は二〇二四年……。またもや「妊婦の腹を引き裂いて胎児を引きずり出す…」といったプロパガンダが平然と行われていたとは驚きである。百年前から人類は進歩していないとは何と哀しいことだろう。

封印された歴史――旧日本軍が救ったユダヤ人たち

歴史を振り返れば日本はユダヤ人など迫害していないどころか、むしろ日独防共協定に背いてまでユダヤ人救出に力を注いできたことがわかる。

ユダヤ教、キリスト教、イスラム教といった一神教の聖地として知られるイスラエルの聖地エルサレム。ここにイスラエル建国に貢献した人々の名前が記されたゴールデンブックという本が保存されていると聞き、私は実際に現物を見ている。実に荘厳な芸術作品のような表紙の本だった。

イスラエルは一九四八年に現在、パレスチナと呼ばれている地に建国された。ナチス・ドイツの迫害から逃れたユダヤ人が、「約束の地カナン」を根拠に建国宣言をしたのだ。そこから現在のイスラエルVSパレスチナ問題が始まるのだが、今回はユダヤ人迫害の歴史に終止符を打とうとした日本軍の活躍に光をあてたい。

前述したゴールデンブックにはキリスト教幕屋創設者の手島郁郎氏他、三名の日本軍人の名前が記されている。

代表的なのは、日独伊三国同盟の時代に満洲に逃れてきた数多のユダヤ人難民の命を救った陸軍中将・樋口季一郎氏。樋口中将は、その部下である陸軍大佐・安江仙弘(のりひろ)とともにその功績が称えられている。

二千年前にユダヤ王国が分裂、崩壊しユダヤ人は約二千年間にわたって世界に離散。祖国を持たぬ流浪の民の数奇な運命を少しでも安堵の世界に導くかのような樋口中将の演説は、はるばる満洲まで逃避してきたユダヤ人たちの心を奮い立たせ、スタンディングオベーションがいつまでも鳴りやまなかったという。その演説を紹介したい。

「ユダヤ諸君はお気の毒にも世界のいずれの場所においても祖国なる土を持たぬ。いかに無能なる少数民族も、民族たる限り何ほどかの土地を持っている。ユダヤ人は科学芸術産業の分野において、他のいかなる民族と比べても劣ることなき、才能と天分を持っていることは歴史が証明している。しかるに文明の香り高かるべき二十世紀の今日、世界の一部においてキシネフのポグロムが行われ、ユダヤに対する追求または追放を見つつあることは人道主義の名において、また人類の一人として私は心底、悲しむものである。ユダヤの追放の前に彼らに土地、すなわち祖国を与えよ」(『樋口季一郎演説』一九三八年第一回極東ユダヤ人大会・ハルビン商工クラブ)

樋口中将は、ナチス・ドイツの迫害から逃れ、シベリア鉄道に乗って満洲国国境のオトポール駅で立ち往生していたユダヤ難民たちに、満洲入国のゲートを開いたのだ。

そして、そのユダヤ人難民救済の指揮を執っていたのが、当時関東軍参謀長の東條英機(後の首相・陸軍大将)だった。東條は、同盟国ドイツの反ユダヤ主義を痛烈に批判した樋口中将を擁護し、「ユダヤ難民を満洲に入れるな」といったドイツからの圧力も一蹴した。

つまり東條英機は、ユダヤ人難民を救った大功労者だった。

また、『シンドラーのリスト』で有名な、ナチス・ドイツの迫害から逃れた数多くのユダヤ人にビザを発行しておよそ六千名もの命を救った在リトアニア日本大使館の外交官・杉原千畝は、その功績によって戦後イスラエル政府から「諸国民の中の正義の人」として表彰（一九八五年）され、イスラエルには彼の顕彰碑も建立されている。実は杉原千畝氏は外交官だけではなく封印された経歴を持っていた。彼は一九二〇年（大正九）から一九二二（同十一）年三月までに当時朝鮮にあった陸軍歩兵第七十九連隊に志願入営しており、階級は「陸軍少尉」だったのだ。この重大な発見をしたのがジャーナリストの井上和彦氏で、井上氏はリトアニア共和国カウナスにある「第九要塞博物館」に展示されていた樋口氏の軍服姿の写真に気づいたのだ。

つまり、ユダヤ難民を救出にはこういった旧日本軍の活躍があったということだ。

ところがユダヤ資本がメインだったハリウッド映画は、外交官・杉原千畝氏の功績をたたえた『シンドラーのリスト』だった。当時、〝日本の国策に反して命のビザを発給し続けた外交官・杉原千畝〟というイメージが一般大衆に刷り込まれた。何故、杉原の軍歴は隠されてきたのか？　何故、関東軍のユダヤ人救出劇は映画化されなかったのか？　旧日本軍が人道的支援者であったということは、戦後賠償を画策する一部のユダヤ人活動家らにとって不都合な真実だったからではなかろうか？

また、一九二〇（大正九）～一九二二（同十一）年、ロシア革命の煽りを受けてシベリアで飢餓や病気に苦しむポーランド人孤児七百六十五人を、日本政府が救援した史実をご存じだろうか。昨二〇二三年九月二十六日、それから百周年を迎えたことを記念する式典がワルシャワ市内で開かれた。この式典には、ポーランド孤児の子孫らが世界各国から集まり、ポーランド政府関係者や宮沢大使らも出席する一大外交イベントとなった。いうまでもなくこのイベントは、ポーランドが「欧州随一の親日国」といわれるきっかけとなった一世紀前のこの人道支援活動を後世に語り継ぎ、なにより両国関係を発展させる式典となった。

このポーランド孤児（ポーランドではシベリア孤児）の救援の物語は実に感動的だ。実はこの人道的救済を引き受けたのは世界で日本だけだったのである。アメリカもそっぽを向いて在ウラジオストクのポーランド救済委員会の救援要請を断った。だが日本政府だけは、ポーランド救済委員会の救援要請を引き受け、シベリア出兵中の陸軍部隊を差し向けて、シベリア奥地からも子供らを救出したのである。そしてこの子供らをウラジオストクから輸送船で敦賀に運んだのも日本陸軍だった。

敦賀に上陸した子供たちを敦賀の人々が温かく迎え、第一陣が東京・広尾の福田会という養護施設へ運ばれ、第二陣は大阪天王寺の施設へ移送されて養護された。栄養失調に加え伝染病などにかかった子供らを温かく養護したのが日本赤十字社だった。中には子供が罹患していた腸チフスに罹って命を落とした松澤フミという二十歳の看護師もいたが、日本赤十字の看護師らは怯むことなくこの身寄りのないポーランド児童らを献身的に養護した。

だが問題が生じた。健康を回復した子供たちを祖国ポーランドに送り返そうとしたとき、子供たちが日本を離れることを嫌がったのだ。「このまま日本に居たい」「もうどこへも行きたいくない！」、子供らの心情だった。当時の日本人は、何の見返りや利益を求めず、見ず知らずの異国の孤児をも命がけで救出し、懸命に彼らを擁護して愛しんだことを忘れてはならない。

最後に冒頭で紹介したローゼンタール氏の言葉をもう一つ紹介する。

「我々ユダヤ人は死後の生命、つまり〝来世〟の存在を信じない以上、我々のすべての努力は現在に向かわざるを得ない。我々ユダヤ人は諸君キリスト教ほど愚かではないからして、自己犠牲に基づくイデオロギーを決して取らないだろう。諸君は共同体の利益のために生き死にするだろうが、これに対して我々の方は、我々個人の自己の為に生き死にするだけなのだ。自己犠牲の発想をユダヤ人は忌み嫌うのだ。死が終わりである以上、この世に死ぬための理由などどこにもない。（略）我々ユダヤ人も危機が迫っている時には団結するが、これは我々個々人の肉体を救うがためであって、共同体を維持するためではない」

もちろん全てのユダヤ人の考えではないであろうが、現在でも欧米を中心に二重、三重国籍を持ったグローバルな民がいる。実際に二〇二三年十月七日以降、イスラエルから脱出した人は五十万人以上にものぼる。ニューヨークやロサンゼルスなどの富裕層は、税金対策の関係でイスラエルとアメリカを年間、半々くらいで生活している人も多いという。もちろん、逃げるだけではなく有事の際にイスラエルという祖国のためなら惜しみなく命を投げ出す人もいるが……。

それでもローゼンタール氏の言葉を与(くみ)すれば、神風特攻隊の遺書や敗戦を覚悟し切腹した旧日本軍の辞世の句、断腸の思いで特攻隊員を送り出した妻や母親の胸の内は永遠に理解できないのかもしれない。理解できないが故に、彼らが地球上で最も畏れ、壊滅させたい国、それが日本なのではなかろうか。

著者 **J・W・ロバートソン・スコット** J. W. Robertson Scott 1866 - 1962

英国のジャーナリスト兼作家。農村問題に関する著書でよく知られる。

いくつかの雑誌記者を経たのち、農村研究を名目に1915年に来日、1916年3月に駐日英国大使ウィリアム・カニンガム・グリーンの要請で日本向けの反独親英宣伝要員となり、プロパガンダ文書である『日本、英国及世界』、『英語と英国気質の研究』、そして本書の著者となった。英国の資金援助により翌1917年には日英語併記の月刊誌『The New East（新東洋）』(副題:東洋と西洋とにおける思想と自治問題)を創刊。本書の邦訳を担当した柳田國男と日本各地の農村を調査し、1919年に帰国後、柳田との旅をもとに『The Foundation of Japan（日本之真髄）』（1922年）を執筆。英国の農村を取り上げた『England's Green and Pleasant Land』（1925年）はベストセラーとなる。1949年にオックスフォード大学から名誉修士号を取得。

画家 **ルイ・ラマカース** Louis Raemaekers 1869 - 1956

オランダの風刺画家。

ドイツ軍のベルギー侵攻後、新聞紙上でベルギーにおけるドイツ軍の残虐行為を生々しく描写し、ドイツ人を野蛮人の如く描いた。彼の作品は、オランダの中立を危険にさらすものとして政府から警告を受ける。その後活動の拠点を英国に移すと、彼の作品展は大盛況となり、新聞に掲載された作品も話題となった。英国の戦争宣伝局はラマカースに接触し、彼の作品を用いて反独プロパガンダの世界的展開を行った。『Raemaekers Cartoons』は18カ国語に翻訳され、世界中に配布された。作品展も世界各国で開催され、その作品は画集、小冊子、ポスター、絵葉書、トレーディングカードとなって大量に流通した。米国でも二千を超える新聞数億部に作品が掲載され、米国における反独世論の形成に多大な影響を与えた。このラマカースの作品の世界的普及は、第一次世界大戦における最大のプロパガンダ活動とされる。

現代語訳 **和中 光次** わなか みつじ

翻訳者。主な翻訳書に『英国人捕虜が見た大東亜戦争下の日本人―知られざる日本軍捕虜収容所の真実』(ハート出版)がある。

解説者 **大高 未貴** おおたか みき

ジャーナリスト。1969年生まれ。フェリス女学院大学卒業。

世界100カ国以上を訪問。チベットのダライラマ14世、台湾の李登輝元総統、世界ウイグル会議総裁ラビア・カーディル女史、ドルクン・エイサ氏、パレスチナガザ地区ではＰＬＯの故アラファト議長、サウジアラビアのスルタン・ビン・サルマン王子などにインタビューする。

またアフガン問題ではタリバン全盛の1998年、カブールに単独潜入し、西側諸国ではじめてアフガン崩壊の予兆を報道。

『「日本」を「ウクライナ」にさせない！』『習近平のジェノサイド 捏造メディアが報じない真実』『日本を貶める「反日謝罪男と捏造メディア」の正体』(ＷＡＣ)、『ISISイスラム国 残虐支配の真実』(双葉社)、『冒険女王 女ひとり旅、乞食列車一万二千キロ！』(幻冬舎文庫)など著書多数。

本書『是でも武士か』について

第一次世界大戦中、英国は反独世論を高めるために、世界中で反独宣伝を展開した。本書はその一環であり、英国が日本に向けて送り込んだ反独文書である。全編を通じ、ドイツ軍によるベルギーの女性・子供・聖職者等に対する残虐非道の数々が描かれている。『是でも武士か』というタイトルは、武士道精神を有する日本人は、武士道のかけらもないドイツ人をどう見るのか、と問うたものである。大東亜戦争中、日本の対米謀略放送を指導した池田徳眞(十五代将軍徳川慶喜の孫)は、本書を「残虐宣伝の不朽の名著」と呼んだ。池田は本書から進んだ英国の宣伝技術とプロパガンダの本質を学んだが、本書によって自身のドイツ人観が一生歪められてしまったという。ラマカースの不気味な風刺画を効果的に配置し、読者にドイツ人への心理的嫌悪感を与えるよう設計された本書の威力は、それほど凄まじいものであった。この英国の世界的宣伝が大戦の帰趨を決し、ドイツは敗北したとされる。

大成功を収めたこの残虐宣伝の技法は、その後の反日宣伝に利用された。「南京大虐殺」プロパガンダは、中国国民党がその宣伝の技法を取り入れたものである。「レイプ・オブ・ベルギー」という言葉は、「レイプ・オブ・ナンキン」に置き換わり、赤ちゃんを銃剣で串刺しにするドイツ兵は、日本兵に置き換わった。そしてさらに「捕虜虐待」「７３１部隊」「従軍慰安婦」等の反日宣伝が続き、日本軍の残虐性は世界に定着することになる。

著者は日本の農村を研究するため来日していたが、駐日英国大使に反独親英の宣伝活動を依頼された。著者夫妻は、当時貴族院書記官長だった民俗学者の柳田國男と親交が厚く、夫人から本書翻訳者の紹介を依頼された柳田は、匿名を条件に翻訳を引き受けている。

[現代語訳] 是でも武士か

令和6年 4 月11日　　第1刷発行

著　者　J・W・ロバートソン・スコット
挿　画　ルイ・ラマカース
現代語訳　和中 光次
発行者　日髙 裕明
発　行　株式会社ハート出版

〒171-0014 東京都豊島区池袋 3-9-23
TEL03-3590-6077　FAX03-3590-6078
ハート出版ウェブサイト　https://www.810.co.jp

Printed in Japan　ISBN978-4-8024-0175-3　C 0021
印刷・製本　中央精版印刷株式会社

[復刻版] **女子礼法要項**

日本の女子礼法教育の集大成

竹内 久美子 解説
ISBN978-4-8024-0173-9　本体 1400 円

[復刻版] **中等修身** [女子用]

神代から連綿と継がれる女子教育の集大成

橋本 琴絵 解説
ISBN978-4-8024-0165-4　本体 1800 円

[復刻版] **高等科修身** [男子用]

今の日本だからこそ必要な徳目が身につく

高須 克弥 解説
ISBN978-4-8024-0152-4　本体 1500 円

[復刻版] **国民礼法**

ＧＨＱに封印された日本人の真の礼儀作法

竹内 久美子 解説
ISBN978-4-8024-0143-2　本体 1400 円

[復刻版] **初等科修身** [中・高学年版]

ＧＨＱが葬った《禁断》の教科書

矢作 直樹 解説・推薦
ISBN978-4-8024-0094-7　本体 1800 円

[復刻版] **ヨイコドモ** [初等科修身 低学年版]

低学年の時からこんな道徳を学んでいた！

矢作 直樹 推薦
ISBN978-4-8024-0095-4　本体 1600 円

[復刻版] **中等歴史** [東亜及び世界篇〈東洋史・西洋史〉]

驚くほど公正な戦時中の中等学校「世界史」

三浦 小太郎 解説
ISBN978-4-8024-0133-3　本体 1700 円

[復刻版] **高等科国史**

世に出ることのなかった“幻の教科書”

三浦 小太郎 解説
ISBN978-4-8024-0111-1　本体 1800 円

[復刻版] **初等科国史**

ＧＨＱが廃止した我が国最後の国史教科書

三浦 小太郎 解説　矢作 直樹 推薦
ISBN978-4-8024-0084-8　本体 1800 円

[復刻版] **初等科国語** [中学年版]

日本語の美しい響きと力強さ、道徳心を学べる

葛城 奈海 解説　矢作 直樹 推薦
ISBN978-4-8024-0103-6　本体 2000 円

[復刻版] **初等科国語** [高学年版]

道徳的価値観に基づく愛の心に満ちた教科書

小名木 善行 解説　矢作 直樹 推薦
ISBN978-4-8024-0102-9　本体 2500 円

[復刻版] **よみかた** 上・下 [初等科国語 低学年版]

低学年の時からこんな国語を学んでいた！

佐波 優子 解説　矢作 直樹 推薦
ISBN978-4-8024-0100-5 箱入り 本体 4500 円

[復刻版] **初等科地理**

ご先祖が学んだ我が国と大東亜の“地政学”

宮崎 正弘 解説　矢作 直樹 推薦
ISBN978-4-8024-0123-4　本体 1700 円

移民侵略

死に急ぐ日本

佐々木 類 著
ISBN978-4-8024-0171-5　本体 1600 円

アメリカ人が語る **内戦で崩壊するアメリカ**

普及版 アメリカ人が語る 日本人に隠しておけないアメリカの“崩壊”

マックス・フォン・シュラー 著
ISBN978-4-8024-0163-0　本体 1200 円

慰安婦性奴隷説を
ラムザイヤー教授が完全論破

ジョン・マーク・ラムザイヤー 著　藤岡 信勝 他 訳
ISBN978-4-8024-0172-2　本体 1800 円